LES THÉRAPIES
AU FÉMININ

Couverture
- Maquette:
  GAÉTAN FORCILLO
- Photo:
  BERNARD PETIT

Maquette intérieure
- Conception graphique:
  JEAN-GUY FOURNIER

DISTRIBUTEURS EXCLUSIFS:

- Pour le Canada:
  AGENCE DE DISTRIBUTION POPULAIRE INC.*
  955, rue Amherst, Montréal H2L 3K4 (tél.: 514-523-1182)
  *Filiale de Sogides Ltée

- Pour la France et l'Afrique:
  INTER-FORUM
  13, rue de la Glacière, 75013 Paris (tél.: 570-1180)

- Pour la Belgique, la Suisse, le Portugal, les pays de l'Est:
  S.A. VANDER
  Avenue des Volontaires 321, 1150 Bruxelles (tél.: 02-762-0662)

Dominique Brunet

LES THÉRAPIES AU FÉMININ

dépression, hystérie, phobie, anorexie

collection
idéelles

dirigée par
Andrée Yanacopoulo

le jour,
éditeur

DU MÊME AUTEUR:

dans la collection Idéelles:
LA FEMME EXPLIQUÉE
HISTOIRE D'UN TRUQUAGE

Bibliothèque nationale du Québec
Dépôt légal — 3e trimestre 1983

ISBN 2-89044-134-2   A224299

C'est après avoir partagé les souffrances de la femme, après avoir écouté les interprétations fallacieuses données par le mari, l'ami ou les thérapeutes pour expliquer sa pensée et ses comportements, après avoir été témoin de l'incompréhension évidente devant les mobiles directeurs de la psyché féminine, incompréhension également observée chez les hommes et chez les femmes elles-mêmes, qu'il m'a paru nécessaire d'écrire cette série de livres.

Avant-propos

Les femmes

Après des années de souffrance, elles viennent chercher, dans les centres de santé mentale, la guérison instantanée, le soulagement rapide de leurs maux. Leur recherche d'une solution est pathétique; hélas, la vraie réponse n'est pas à l'extérieur d'elles mais en elles. On le dit beaucoup, on le répète souvent, mais il semble difficile à celles qui se trouvent à l'aube de la connaissance de leur état psychologique et physique de saisir la portée et la signification de cette phrase. La thérapeute n'a qu'un rôle de guide, de soutien et d'éducatrice dans ce processus lent et difficile vers un mieux-être. Elle répond aux questions de la façon la plus simple et la plus complète possible, mais la thérapie elle-même, c'est-à-dire la démarche psychologique, les phénomènes de maturation et si possible d'évolution et de changement sont accomplis par la consultante seule. Parce qu'on ne prend pas conscience des défauts de sa personnalité en une journée, parce qu'on s'habitue au cours des années à certaines façons plus ou moins équilibrées de réagir aux gens et aux événements, on ne peut pas s'ajuster à de nouveaux modes d'expression et opérer des changements en vingt-quatre heures.

Toute personne qui désire accéder à un mieux-être psychologique doit faire preuve d'une certaine dose de patience, encore plus que lorsqu'elle souffre d'un mal physique:

un malaise psychique qui met des années à se structurer ne disparaîtra probablement pas en quelques mois. Quant au temps qu'il prendra pour disparaître, personne ne peut le prédire, pas même les spécialistes: même si nous sommes tous soumis à des principes universels de conduite, chaque être humain réagit différemment dans son corps et selon son histoire.

Introduction

Dans notre seconde phase de réflexion sur la femme[1], nous avons examiné ses différentes façons de réagir aux pressions d'un milieu socio-culturel qui, au cours des siècles et de façon inéluctable, s'est efforcé de museler son intelligence et sa sexualité tout en lui laissant la liberté de vivre ses émotions de façon désordonnée. Nous avons vu que ce même milieu s'attachait à lui imposer une image de son sexe tel qu'il devait être, c'est-à-dire en deçà et au delà de l'humain, à la fois esclave et ange, incarnant douceur, bonté et pureté. Soustendant ces conditions de vie issues de l'idée que certains hommes influents du patriarcat se faisaient du genre féminin [2], il y avait, bien entendu, l'angoisse et la tristesse, deux plaies inhérentes à notre nature d'être humain, que l'on soit né femme ou homme. De plus, la vie elle-même se chargeait d'accentuer de façon encore plus douloureuse et plus réelle les difficultés que l'homme avait créées consciemment ou non tout au long du vécu historique de sa compagne.

Nous avons vu la femme, emprisonnée dans ce réseau tissé par l'existence et la culture, développer sans s'en rendre

1. Voir du même auteur *La femme expliquée — l'histoire d'un truquage,* coll. Idéelles, Le Jour éd., Montréal, 1982.
2. Leurs noms se suivent par centaines; mentionnons simplement, parmi les mieux connus et les plus célèbres pour leur misogynie: Aristote, Saint Paul, Freud.

compte des moyens de survivre terriblement néfastes pour son bien-être psychologique, en essayant soit de fuir, soit de faire face à des circonstances de vie défavorables. Son instinct de vie était déjoué. Les moyens qu'elle a choisis, consciemment ou inconsciemment, étaient bien entendu spécifiques à son sexe et fonction de sa culture. Lorsqu'elle se sentait prise au piège, la femme se réfugiait dans des conduites d'évitement en abandonnant ses rôles d'épouse, de mère et de femme pour s'ancrer, sans en être pleinement consciente, dans la maladie — la maladie de l'âme. *Elle devenait alors hystérique, phobique ou anorexique: hystérique, elle ne voulait plus être ni épouse ni mère; phobique, elle refusait la société et ses normes; anorexique, elle tentait son ascèse au delà de l'humain.*

Comme tout être, la femme se retrouvait angoissée et déprimée, mais elle l'était plus que l'homme car, dans sa lutte pour une existence meilleure, elle n'avait ni la force de caractère ni la ténacité de son homologue masculin, ni le désir profond de sortir victorieuse de ces épreuves: on ne lui avait pas appris à être forte durant ses années de formation; elle ne bénéficiait pas non plus des mêmes conditions de vie puisqu'elle était née fille. Elle préféra donc l'ambiguïté, l'ambivalence, l'abandon et la fuite.

Nous nous exprimons au passé, mais nous pourrions le faire au présent car beaucoup de femmes sont encore profondément déprimées et angoissées; un grand nombre d'entre elles optent encore pour l'hystérie, les phobies et l'anorexie parce qu'elles sont toujours soumises à un système éducatif de type patriarcal et qu'elles continuent à véhiculer tous les vieux principes judéo-chrétiens.

La tâche est lourde quand il s'agit de modifier des mentalités cimentées par des siècles de pratique d'un certain style de pensée et d'essayer de les ouvrir à d'autres modes de réflexion et d'action. Comment pouvons-nous amener les femmes à adopter de nouvelles formules de vie, de nouvelles façons de comprendre l'existence — plus en accord avec l'idée que l'on se fait de la personne — quand elles traînent derrière elles toute une histoire différente de celle qui est en train de s'élaborer? Parce que la tâche est lourde, les tentatives de changement seront plus ou moins fructueuses et le succès très partagé. Tentatives et succès dépendront de la compréhension que la femme a non seulement de ses problèmes actuels, mais surtout de la façon dont ils se sont élaborés ainsi que de sa motivation à évoluer; ils dépendront finalement, dans les cas les plus dramatiques, de l'étendue des dommages causés à son système nerveux.

Comme nous l'avons déjà mentionné à la fin du premier tome de cette série sur l'histoire de la psychologie de la femme , nous concevons le processus de resocialisation de la femme comme un mouvement de réinsertion dans une vie active avec participation sociale, prise de responsabilités, résolution de ses propres difficultés, prise en charge et meilleure connaissance de soi. Ce processus pourra être amorcé à l'intérieur d'un ensemble de services spécialisés — Centres de femmes et Centres de santé mentale — offrant des réunions de groupe et des consultations individuelles.

Avant de décrire les techniques employées dans l'élaboration de ce mouvement de resocialisation et d'examiner le rôle des personnes-conseils qui utilisent ces techniques auprès des femmes, revoyons ensemble l'histoire de quelques-unes de ces consultantes reçues dans les centres de santé mentale.

Première partie

La consultante

La consultante

Qui est-elle?
Que veut-elle? Comment réagit-elle?

Durant mes années de pratique en santé mentale commu-
nautaire, j'ai eu l'occasion de rencontrer beaucoup de femmes,
en général de milieux pauvres ou défavorisés, peu scolarisées,
excepté pour les jeunes entre dix-huit et vingt-sept ans qui, de
plus en plus fréquemment, entreprennent des études collégiales
ou universitaires. Ces femmes vivent en majorité du bien-être
social ou de l'assurance-chômage, quelques-unes du salaire
d'un ami ou d'un mari, et si par chance elles travaillent à
l'extérieur, leur activité demeure mal rémunérée et trop
souvent temporaire — comme c'est le cas dans les emplois de
serveuses, réceptionnistes, dactylos, femmes de salle ou
vendeuses.

En tant que psychologue [1], le type de population que j'ai
servie se divise en quatre: les grandes déprimées et les angoissées sont les deux catégories qui regroupent le plus grand
nombre de femmes; viennent ensuite les femmes bien assises

---

1. Nous verrons, à propos du rôle des thérapeutes dans le troisième
   chapitre, quelles sont les fonctions d'une psychologue clinicienne,
   fonctions qui, en général, déterminent le type de consultantes qu'elle
   reçoit.

dans une pathologie classique d'hystérie, de phobies ou d'anorexie, ces problèmes pouvant apparaître ensemble chez la même personne; enfin, il y a les révoltées sociales que l'on retrouve de plus en plus à notre époque [2].

Afin de mieux saisir l'ensemble systémique constitué par la consultante, ses difficultés et les modalités d'approche choisies pour les résoudre, citons quelques exemples vécus.

* * *

Premier cas: femme de soixante-cinq ans présentant une réaction de deuil à la suite du décès de son mari et qui, chaque fois qu'elle a dû faire face à des situations stressantes, a réagi de façon systématique par des épisodes de dépression profonde entre lesquels elle menait une vie parfaitement normale.

* * *

La première fois que nous avons vu Liliane, c'était il y a quatre ans, quelques mois après qu'elle ait perdu son emploi, et à la suite d'une maladie physique — déplacement d'un disque lombaire — ces deux événements étant survenus de façon simultanée. Liliane se plaignait d'être profondément déprimée et angoissée. Elle souffrait d'insomnie, se sentait sans force, sans courage et n'avait plus aucun espoir face à l'avenir. Elle avait très peur de perdre le contrôle d'elle-même et de se faire du mal; elle exprimait des idées de suicide.

C'était la seconde "grande" dépression de Liliane. La première avait eu lieu une vingtaine d'années auparavant, après un épisode combiné d'arthrite et d'anémie.

2. Le diagnostic posé en psychopathologie est celui de troubles de la personnalité, troubles du caractère; psychopathes ou sociopathes selon que l'on se réfère à une nomenclature européenne ou américaine ou bien à des domaines professionnels différents dans le secteur de la santé mentale.

À la suite de son dernier accident physique et de la perte de son emploi, Liliane avait développé des idées que l'on qualifie de paranoïdes [3] et des peurs multiples: peur de sortir, peur d'être seule, peur de perdre le contrôle d'elle-même. La dépression et l'angoisse devinrent telles qu'elle se mit à envisager le suicide comme une solution à ses difficultés. C'est alors qu'elle fut hospitalisée.

Le visage triste, très ralentie dans l'exécution de ses mouvements comme dans la formulation de ses pensées, lesquelles demeuraient floues mais toujours rationnelles, très tendue — elle gardait une posture figée, qu'elle soit assise ou debout, et la nuque rigide — toute ses attitudes et toutes ses paroles étant imprégnées d'un grand désespoir et reflétant la désolation, ayant perdu l'appétit et le sommeil, c'est ainsi qu'elle demeura pendant les premières semaines qui suivirent son admission à l'hôpital. Durant son séjour, on lui administra des anti-dépresseurs, des tranquillisants mineurs et des somnifères; elle recevait en même temps conseils et réconfort de la part de son entourage — le personnel hospitalier, les aide-infirmières et les infirmières. Lentement mais progressivement Liliane parvint à se rétablir. Elle demeura cinq mois à l'hôpital, après quoi elle retourna à la maison auprès de son mari.

C'est depuis cette époque que nous la suivons en psychothérapie au centre de santé mentale. Entre temps, elle a fait deux rechutes qui se sont soldées par deux hospitalisations: l'une à la suite de la mort de son mari et l'autre à l'approche du premier anniversaire de cette mort. Durant chaque épisode,

---

3. *Idées paranoïdes:* idées apparaissant chez les personnes n'ayant pas confiance en elles-mêmes ou ayant perdu cette confiance à la suite d'un échec personnel, professionnel ou social. Au début, ces personnes ont l'impression que les gens sont hostiles à leur égard et leur veulent du mal. En conséquence, elles en arrivent à croire fermement que les gens cherchent consciemment et par pure méchanceté à leur jouer de mauvais tours pour les détruire.

les mêmes symptômes cliniques de dépression sévère et d'angoisse étaient présents.

Entre chacune des trois rechutes échelonnées sur une période de quatre ans, nous avons appris à mieux connaître Liliane en la suivant régulièrement, soit tous les huit jours, soit tous les quinze jours, l'intervalle entre les rendez-vous dépendant de son besoin de support c'est-à-dire de sa force ou de sa faiblesse psychologique du moment. La meilleure approche thérapeutique semble avoir été jusqu'à maintenant un ensemble de conseils et de recommandations et du support avec, plus récemment, une ébauche d'analyse du passé. Liliane commence tout juste à reviser sa vie, ses façons d'agir et de penser d'autrefois; elle réalise l'étendue de sa dépendance vis-à-vis de son mari défunt. Nous devons noter que depuis la mort de ce dernier, Liliane est devenue encore plus sujette aux crises d'angoisse et de dépression: elle est très isolée affectivement, ses enfants, adultes, menant une vie indépendante auprès de leur propre famille et ne gardant que peu de contacts chaleureux avec leur mère. Sans parents proches auprès d'elle — elle est immigrante — les seules ressources et supports affectifs pour Liliane se regroupent autour des relations d'amitié qu'elle et son mari ont pu contracter au cours des années, et celles qu'elle se fait actuellement à travers les groupes auxquels elle appartient.

Au début de ses visites au centre après sa première hospitalisation, Liliane venait uniquement chercher des médicaments pour se sentir mieux. On essaya bien de lui montrer l'importance de s'impliquer dans des activités et des groupes pour être seule le moins souvent possible et se sentir moins triste, mais activités et groupes étaient perçus comme futiles et inutiles; elle préférait recevoir "son" médicament qu'elle prenait fidèlement, avec seulement quelques brèves interruptions. Nous nous sommes d'ailleurs aperçues que "son" anti-dépresseur faisait plutôt fonction d'une béquille dont elle ne voulait plus se séparer, car l'idée même d'essayer un nouveau médicament anti-dépresseur dont l'action était censée être plus rapide lui paraissait intolérable; elle refusa de l'essayer sous prétexte qu'elle était "habituée" à l'autre drogue car, disait-elle, elle en connaissait les effets et savait à quoi s'attendre. Nous devons dire cependant que Liliane avait pris l'habitude de venir à des entrevues en thérapie et qu'elle y demeurait fidèle.

C'est après la mort de son mari et pendant la période de deuil qui s'ensuivit que nous avons commencé à noter quelques transformations dans sa façon de penser et de voir les choses.

Elle prit l'initiative de se joindre à différents groupes sociaux, groupe de veuves et groupe paroissial entre autres. Progressivement, elle s'y fit des amies qu'elle continue à voir. De plus, elle s'inscrivit à des cours: cours de coupe et cours de couture. Elle a même accepté un petit travail de bibliothécaire pour la paroisse, travail requérant beaucoup d'ordre, d'initiative et d'organisation. Elle en est très fière et se sent "revivre".

Liliane a repris confiance en elle-même; elle se sent plus sûre de ce qu'elle fait et ses idées paranoïdes, ses peurs multiples ont complètement disparu. Elle a des moments de petits bonheurs et commence à faire des projets pour le futur: projets de vacances et projets d'activités qu'elle aimerait entreprendre. Elle a pris l'habitude de recevoir ou de téléphoner à des amis et de se joindre à des groupes qu'elle trouve intéressants. Elle n'a plus à se forcer pour s'impliquer dans des activités ni pour agir sur son environnement.

La vie normale a repris son cours. Liliane se sent d'autant plus revivre qu'elle a pris conscience de certains problèmes dans sa façon d'exister, en particulier et surtout de la très grande dépendance qu'elle avait développée vis-à-vis de son mari.

Ce fut une révélation pour Liliane de s'apercevoir que, depuis son mariage, chaque fois qu'il lui était arrivé de gros ennuis, elle s'était mise à paniquer et à devenir déprimée, alors qu'adolescente et jeune fille elle s'était toujours perçue comme autonome et mentalement forte. En thérapie, Liliane se mit à évoquer son mari, sa personnalité imposante mais étouffante puisqu'il ne permettait pas à sa femme de faire quoi que ce soit sans son autorisation. Avec un tel mari, Liliane devint craintive, soumise et obéissante. Psychologiquement, le prix de sa sagesse fut l'effacement, l'insécurité, les angoisses multiples et le manque de confiance en elle — elle ne faisait rien sans demander sa permission et c'était toujours sous sa supervision qu'elle agissait, que ce soit conduire la voiture, aller faire des courses ou s'acheter une robe. Lorsque quelque chose de grave lui arrivait, elle se sentait perdue et sans défense, ayant oublié la façon normale de réagir, et elle devenait déprimée.

Ces quelques prises de conscience la revigorèrent et l'incitèrent à faire des changements encore plus rapidement que prévu. Tout d'abord, elle abandonna elle-même "son" anti-dépresseur; en même temps, au niveau de sa vie active, elle commença à échafauder des projets de rénovation pour sa maison et, comme nous l'avons mentionné un peu plus haut, c'est maintenant avec plaisir qu'elle s'engage dans des activités sociales et non plus comme s'il s'agissait d'un labeur; enfin, elle imagine même de s'envoler vers les pays chauds pour se distraire.

* * *

Deuxième cas: femme mariée, âgée de trente-six ans, demeurant au foyer et ayant un enfant de quatre ans. Le mari travaille beaucoup à l'extérieur et se trouve rarement à la maison.

* * *

À la première entrevue, Nicole se présente avec un visage très triste et les yeux rougis; elle pleure beaucoup et souvent nous dit-elle. Sa tristesse et son ennui s'expriment aussi dans sa tenue vestimentaire: elle est vêtue de gris clair. Elle n'arrive plus à faire quoi que ce soit à la maison et ne s'intéresse à rien. Elle se sent lasse, fatiguée et épuisée même lorsqu'elle ne fait rien. Les distractions, télévision, lecture, cinéma et restaurant ne la captivent plus. Elle ne ressent plus de désirs sexuels. Elle a perdu l'appétit et a maigri de douze kilos en quelques semaines. Son sommeil est troublé. Son enfant l'énerve et elle vit dans la peur de perdre son mari parce qu'elle ne répond plus à ses avances sexuelles.

Nous sentons que cette personne est très affaiblie mentalement et physiquement. Son malaise est général. Elle n'arrive plus à réagir mais elle veut s'en sortir: Nicole veut redevenir ''normale'', comme avant, c'est-à-dire gaie, pleine d'entrain, énergique, heureuse de vivre et s'intéressant à tout.

C'est la première dépression de Nicole. Elle a noté que depuis environ deux ans, elle perdait petit à petit goût aux choses et aux gens, au monde en général, qu'elle manquait d'appétence et que, fait encore plus troublant, elle reculait devant les avances de son mari. Elle ne s'explique pas ce qui se passe: au cours de sa vie, elle a dû, comme la majorité, faire face à maints problèmes qu'elle est toujours parvenue à surmonter; maintenant qu'elle n'en perçoit aucun, elle est déprimée et soucieuse.

Cependant, l'histoire que nous raconte Nicole nous donne un aperçu différent de la situation. Depuis l'âge de dix-sept ans, Nicole avait toujours travaillé à l'extérieur, et ce jusqu'à l'âge de trente-trois ans quand elle décida de rester à la maison. Ses nouvelles activités étaient d'une nature bien différente: s'occuper de son mari, de son enfant, faire le ménage et la cuisine, visiter quelques amies dans l'après-midi. Or, pendant ses seize années de vie professionnelle, Nicole s'était habituée à une vie très dynamique. Elle était parvenue à un poste de cadre dans une compagnie et se trouvait en charge de tout un secteur de vente; ses fonctions requéraient aussi de fréquents voyages outremer. Elle avait donc appris à assumer beaucoup de responsabilités, à être très active et toujours en contact avec le public. Lorsqu'elle fut enceinte de son enfant, Nicole fut transférée à un autre poste, sédentaire celui-là. Un an plus tard, elle quittait la compagnie définitivement.

Il est clair que Nicole, rentrant au foyer après une longue période de vie active, traverse une phase sévère de dévalorisation. L'apparition des premiers symptômes de dépression correspond exactement à la période suivant la cessation de son emploi. Elle a bien essayé de retravailler, mais à de "petits" emplois tels que réceptionniste qui bien sûr n'étaient en rien comparables à sa profession; elle ne restait d'ailleurs jamais plus de quelques mois à ces postes sans grand intérêt pour elle.

Nicole avait trouvé un moyen de se valoriser à travers une carrière faite de responsabilités et de décisions, et très agréable en même temps puisqu'elle voyageait souvent. Sa position sociale s'en trouvait améliorée, ainsi que la situation financière de la famille. Elle se sentait l'égale de son mari et digne de lui. Le foyer était heureux.

Il y a plus: le fait d'avoir accédé, grâce à ses capacités personnelles, son sérieux et sa crédibilité, à une position sociale et professionnelle avait pris une signification particulière dans son cas. Nicole venait d'un milieu social défavorisé: son père était simple journalier et sa mère restait à la maison. Ils avaient donc peu d'argent. Il y avait peu d'amour aussi car le père était toujours parti et la mère ne s'impliquait jamais émotivement avec ses enfants. Ainsi, Nicole n'avait connu ni l'aisance matérielle qu'un père apporte d'habitude par sa profession ni l'affection qu'une mère donne à ses enfants. Ce qui est plus désolant encore, son père avait eu des relations incestueuses avec elle lorsqu'elle était jeune adolescente. Le manque d'affection de la mère, l'inceste paternel et les conditions d'existence médiocres avaient donc induit chez Nicole une tendance à la dévalorisation, aux sentiments d'infériorité et d'incapacité et à la culpabilité spontanée. Jeune adulte, elle avait su, grâce à son intelligence et à sa force de caractère, traverser un premier mariage malheureux, se remarier avec un homme d'un milieu social plus élevé et parvenir à sa propre réussite professionnelle.

À trente-quatre ans, la vie qu'elle s'était si bien organisée s'écroulait, soit deux ans après sa grossesse et quelques mois après avoir interrompu ses activités professionnelles pour pouvoir mieux s'occuper de son bébé.

Après une vie intéressante, dynamique, socialement active, Nicole se retrouve seule à la maison avec un bébé. Le ménage, autrefois heureux, devient cahotique. Nicole perd son intérêt pour tout, y compris sa vie d'épouse et de mère. Elle n'est plus que le fantôme d'elle-même.

Comme la dépression est sévère — sévérité dont témoigne le ralentissement physique et psychologique prononcé, une pharmacothérapie est recommandée dans un premier temps. Après deux semaines de Ludiomil (un antidépresseur), Nicole recommence à sourire, se sent plus gaie et pleure de moins en moins. Simultanément, une psychothérapie est entreprise, expliquant le cheminement de la dépression et la façon active dont elle doit s'y prendre pour la surmonter: se remettre à la recherche d'un emploi correspondant à son potentiel et ses capacités. De plus, des entrevues de couple sont organisées pour permettre aux époux de mieux comprendre ce qui se passe entre eux, particulièrement en ce qui concerne le manque de libido de l'épouse et les problèmes d'éjaculation précoce du mari, difficultés qui ne sont que la traduction de conflits internes: pour l'épouse, son état dépressif et pour le mari, son angoisse devant l'éventualité d'un échec complet de sa vie conjugale.

Nous continuons les entrevues de support avec Nicole. Elle a commencé à chercher un emploi et a repris quelques initiatives dans la maison et avec la famille en organisant les vacances de son enfant, en planifiant chaque semaine ses activités personnelles ainsi que des fins de semaine avec sa famille. Nicole a retrouvé le sourire et un peu d'entrain.

* * *

Troisième cas: épisode de dépression très profonde ayant entraîné l'apparition d'une symptomatologie psychotique. Jeune femme de trente-deux ans, mariée, avec deux enfants.

* * *

Diane a été reçue pour la première fois dans une clinique de santé à l'âge de trente-deux ans parce qu'elle souffrait de "vide affectif", présentait des "sentiments d'angoisse" et se sentait très "isolée". Cette réaction d'angoisse était apparue après qu'elle eut appris la liaison de son mari avec une autre femme. Or, le ménage était déjà chancelant du fait de l'incompatibilité des époux. Diane, de style dynamique et très sociable, décrit son mari comme autoritaire, renfermé, jaloux, méfiant et coléreux. Il n'aime pas la voir sympathiser avec des voisines ou des amies et lui a défendu de suivre des cours et de travailler à l'extérieur alors que lui-même refuse de sortir avec elle et leurs enfants pendant les fins de semaine. Il veut qu'elle s'occupe uniquement de la maison et des enfants. Tout dernièrement, il lui a exprimé son mécontentement, Diane ayant décidé d'avoir une ligature des trompes après la naissance de sa deuxième fille alors que lui voulait d'autres enfants.

Diane fut suivie pendant neuf mois selon une approche plurithérapeutique: la thérapie principale, une egothérapie orthodoxe [4] et une thérapie conjugale qui, à peine commencée, fut interrompue par le thérapeute lui-même: celui-ci pensa qu'elle aurait mené à une rupture à laquelle, selon son jugement, Diane n'était pas prête [5]. En dernier lieu, une psychopharmacothérapie adjuvante avec anti-dépresseurs, tranquillisants et hypnotiques était utilisée au besoin. Durant cette période de neuf mois et après la première crise d'angoisse, le mari demanda le divorce ainsi que la garde des enfants, exigeant que son épouse quitte le foyer.

Diane est alors hospitalisée: elle se trouve en dépression que l'on appelle psychotique. Ayant perdu la notion du temps, des choses, du monde et d'elle-même, elle ne se reconnaît plus, se sent morcelée, transformée en oiseau, morte-vivante. Elle veut qu'on l'enterre; elle veut disparaître. Le choc est trop brusque, trop fort, trop profond. Son mari l'a trompée, son mari l'a privée de sa liberté pendant toute leur vie commune; maintenant, non seulement il la chasse mais il lui enlève aussi ses enfants. Diane a perdu son identité: épouse et mère, elle ne l'est plus; elle n'est plus rien; elle n'existe plus. Autant mourir.

Diane reçoit son congé après deux mois d'hospitalisation. Comme elle n'a plus le droit de retourner chez elle, le mari lui ayant fait présenter les papiers de divorce alors qu'elle était toujours hospitalisée (!), elle décide de se réfugier dans le secteur de la ville où elle a grandi, tout près de la maison de sa mère. C'est alors qu'elle demande un rendez-vous à notre clinique.

Son malaise est toujours aussi profond et elle ne s'explique pas ce qui se passe. Elle se perçoit comme un petit oiseau, toute légère. Quelquefois, elle se surprend à se regar-

---

4. Egothérapie orthodoxe: centrée sur le moi et utilisant le "ramonage" du passé pour parvenir à un certain niveau de compréhension du fonctionnement mental présent.

5. La rupture survint quand même au cours de la thérapie individuelle et mena à une hospitalisation.

der dans le miroir et ne se reconnaît pas: c'est un autre visage que la glace lui renvoie, pas le sien. À d'autres moments, elle se sent comme effritée, en morceaux et pense que dans cet état elle serait mieux morte, que l'on devrait l'enterrer. Le sommeil l'a abandonnée; elle a perdu l'appétit; son sens de l'initiative s'est éteint et elle ne se sent plus ni le courage ni la force d'accomplir les multiples petits gestes de la vie quotidienne comme ranger son appartement, faire un peu de cuisine, prendre soin d'elle-même. Diane pleure beaucoup et souvent; elle ne sait plus que faire, quoi penser, où aller et recherche désespérément de l'aide pour redevenir comme autrefois. Elle reconnaît que ses sensations de morcellement, d'apesanteur et d'étrangeté face à l'image que lui renvoie son miroir ne sont que des impressions dénuées de réalité et sans logique évidente, mais elles sont là dans sa pensée et Diane ne peut pas les éviter car ces idées surgissent sans qu'elle s'en aperçoive. Elle est d'autant plus troublée que ces impressions, appelées phénomènes de dépersonnalisation lorsque la personne est fermement convaincue de leur existence, reviennent assez souvent; elle s'en inquiète beaucoup et a peur quelquefois de devenir "vraiment folle".

Au cours de l'intervention thérapeutique et afin de réduire cette angoisse très désorganisante, Diane reçoit un ensemble anti-dépresseur et tranquillisant majeur qu'elle arrête de prendre après quatre mois. Simultanément, et jusqu'à présent, elle continue ses consultations psychologiques dans le but de recevoir support et conseils afin de mieux se comprendre tout en essayant de faire le point sur ce qui lui est arrivé et sur sa situation présente.

Au début, c'est-à-dire au moment de la crise, elle venait au moins une fois par semaine sur rendez-vous et entre les rendez-vous quand elle se sentait trop en panique. Depuis quelques mois, elle ne vient plus régulièrement, mais selon ses besoins.

Le plus difficile à accepter pour Diane fut le rejet brutal par son mari et la perte de ses enfants pendant qu'une autre femme prenait la place qui lui avait appartenu dans son foyer, auprès de son mari et de ses enfants, dans sa maison, parmi ses meubles. La blessure psychologique était tellement profonde qu'elle fit une rechute quelques mois après son hospitalisation quand ses filles se mirent à l'appeler par son prénom et à parler de l'autre femme en l'appelant "maman". Il était presque impossible pour cette jeune femme de trente-deux ans, qui avait eu sa propre famille pendant dix ans, de surmonter le désastre qui du jour au lendemain l'avait frappée et dépouillée de tout, enfants, mari, maison, meubles. Elle se retrouvait seule dans la rue, sans rien. Point n'est besoin de s'étonner de la profondeur de la dépression et de l'étendue de l'angoisse. Elle mit deux ans pour récupérer et pouvoir s'habituer à sa nouvelle vie, ne voyant plus ses enfants qu'une journée toutes les deux ou quatre semaines.

Depuis quelque temps, Diane a repris force et courage, partageant son temps entre ses nouvelles connaissances, des petits emplois temporaires et sa grande solitude morale. Elle s'est résignée pour le moment à ne pas avoir ses filles auprès d'elle, son besoin le plus grand et son désir le plus cher étant d'avoir l'esprit en paix, de vivre aussi heureuse que possible et surtout de ne pas sentir l'abîme de la dépression se creuser sous elle et l'engouffrer d'un seul coup. Elle met donc toute son énergie et tous ses efforts dans l'organisation de ses occupations et de son emploi du temps; elle sort beaucoup et s'est fait beaucoup d'amies et amis. L'espoir lui est revenu. Diane pense que ses filles lui reviendront un jour et que, peut-être, elle rencontrera une personne qui l'aidera à redonner un sens à sa vie.

* * *

Nous venons de voir trois cas de dépression sévère chez des femmes par ailleurs normales dans leurs pensées et leurs façons d'agir, mais atteintes d'une certaine faiblesse psychologique.

Dans le premier cas, Liliane s'était soumise, sans s'en rendre compte, à l'autorité d'un mari intransigeant qui, s'il ne souffrait pas de la voir se plaindre ni pleurer, n'acceptait pas non plus de la voir prendre trop d'initiatives personnelles. Liliane avait donc perdu l'habitude de faire face aux multiples stress de la vie de façon énergique; au contraire, elle avait appris une nouvelle façon de réagir qui consistait dans l'abandon et le retrait. Elle se laissait aller à un mal qui n'était en réalité que le reflet de son malaise personnel devant un mari autoritaire auquel elle avait laissé tout pouvoir de la dominer. Nul ne peut donc être surpris de voir Liliane rechuter dans une dépression profonde lorsque ce dernier disparaît: celui qui avait été son soutien et son support depuis de nombreuses années l'avait abandonnée. Elle devint confuse, désorientée, perdue et le choc fut d'autant plus brutal qu'il lui fallait réorganiser sa vie aux antipodes de la précédente.

Dans le second cas, après une enfance et une adolescence difficiles, Nicole avait su s'organiser une vie intéressante lui permettant d'actualiser ses capacités personnelles. Mais quand elle se retira dans le monde du foyer, monotone et peu stimulant pour elle, elle perdit petit à petit son goût de vivre, au fil des mois et des ans, et sombra dans une dépression qu'elle ne s'expliquait pas. Ce retour au foyer avait pris pour Nicole une signification particulière qu'elle n'avait su ni percevoir ni reconnaître elle-même: c'était le retour vers une vie de médiocrité. Elle n'avait plus de multiples occasions de se mesurer à des difficultés et à des problèmes de travail à travers lesquels elle pouvait se prouver à elle-même sa valeur et ses capacités, retenir l'attention de son entourage et recevoir les compliments qu'elle n'avait jamais eus quand elle était enfant et adolescente. Confinée entre ses quatre murs, Nicole perdait donc cette estime de soi qu'elle avait connue et l'entourage qui lui était nécessaire pour continuer à se sentir valorisée. Elle n'avait plus le plaisir tout naturel de se voir l'objet des attentions de ses collègues de travail et d'être félicitée par ses supérieurs hiérarchiques. Elle retombait dans une situation qui lui rappelait étrangement un passé débilitant, où elle se trouvait isolée, seule avec ses pensées et ignorée des autres. À l'exemple d'une mère et d'un père qui furent sans amour et sans affection pour elle lorsqu'elle était enfant, elle voyait son mari s'éloigner d'elle de plus en plus; il était toujours trop fatigué pour sortir ou tout simplement passer quelques moments en sa compagnie.

Quant à Diane, jeune maman active et pleine d'entrain mais avec un mari ombrageux, jaloux et taciturne, elle vécut la peine que toute femme jeune et mariée a la hantise de connaître, celle de perdre son foyer, son mari et ses enfants. Non seulement son mari exiga qu'elle fasse ses valises mais il lui refusa la garde de ses deux enfants; il eut d'ailleurs gain de cause auprès de la justice. D'épouse et de mère, Diane devint une "non-entité", une "non-personne"; elle ne savait plus qui elle était, ce qu'elle faisait sur terre ni où elle s'en allait — autant mourir, autant disparaître. Son image d'elle-même s'effrita. Elle devint étrangère à elle-même et, ne se reconnaissant plus, perdit goût à la vie.

À côté de ces cas tragiques requérant une aide à long terme, beaucoup de consultantes passent par des phases de dépression qui d'une part ne nécessitent aucun médicament, et d'autre part ne demandent que des interventions de brève durée.

* * *

Quatrième cas: femme de trente-deux ans récemment divorcée, avec une petite fille de six ans.

* * *

Francine se présente à la clinique et demande à être vue immédiatement. Elle veut parler à une thérapeute: elle se sent très déprimée, perdue, a peur de son ex-mari et craint de perdre la raison. C'est alors que nous la recevons. Francine a beaucoup à dire, mais sous l'emprise des émotions, elle ne peut, tout d'abord, s'exprimer car elle perd le souffle. Elle pleure beaucoup. Puis, peu à peu, elle raconte sa vie, celle de ces dernières semaines et sa vie d'autrefois avec son ex-mari.

Depuis qu'elle a obtenu son divorce, il y a de cela un mois et demi, son ex-mari la harcèle au téléphone et il a forcé l'entrée de son appartement à plusieurs reprises alors qu'elle s'était séparée de lui un an et demi plus tôt. Elle avait fait une demande de divorce à la suite des infidélités de ce dernier et aussi à cause de son caractère violent et mesquin. Après la séparation, il a essayé de briser les liens entre elle et leur fille en offrant beaucoup de cadeaux à la seconde et en médisant de la première, il parvint presque à ses fins car l'enfant manifesta à plusieurs reprises le désir de partir avec son père; elle trouvait que sa mère n'était pas assez gentille et qu'elle ne lui faisait pas autant de cadeaux que son père! C'est à la suite de ces demandes répétées que Francine nous a téléphoné.

Au moment où Francine nous a contactées, elle sentait le contrôle sur l'ensemble de la situation lui échapper; elle avait surtout peur de perdre sa petite fille. Épuisée, elle sentait ses forces l'abandonner; elle n'avait plus goût à rien, passait des nuits sans dormir, à réfléchir et à se débattre avec ses problèmes: peur de perdre sa fille au profit de son ex-mari, peur de la violence de ce dernier, peur de ne pas réussir sa nouvelle vie de mère seule, peur de l'avenir en général. Cependant, elle avait terminé en moins d'un an ses études secondaires et préparé son entrée au cours commercial; dans un même temps, elle avait opéré une brisure finale avec un époux irascible et infidèle. Il lui fallait absolument demeurer forte et continuer son cheminement dans la vie, mais l'angoisse de perdre sa petite fille, sachant que le père de celle-ci l'attirait non par amour mais pour se venger de la mère, lui faisait perdre courage et la tourmentait constamment.

En venant nous consulter, Francine recherche évidemment et demande de façon urgente une personne pour lui redonner courage et la soutenir dans ses décisions, quelqu'un à qui parler, à qui se confier, une personne qui *comprendra* et qui, au besoin, pourra lui redonner l'énergie nécessaire pour faire face à une situation trop pénible à supporter seule en ce moment — sa fille veut l'abandonner, son ex-mari la menace et le brevet en commerce se fait de plus en plus lointain. Elle demande de plus à rencontrer une femme-thérapeute qui, selon elle, la comprendra et saura mieux l'aider qu'un homme. Elle ne veut plus avoir affaire aux hommes de façon globale.

Dans cet exemple, nous voyons clairement que le problème psychologique présenté comprend une composante dépressive et l'angoisse. D'une part, la perte temporaire de l'espoir de réussir sa vie personnelle comme mère et comme personne — alors qu'elle était parvenue à acquérir une certaine autonomie dans des conditions d'adversité — rend compte de l'élément dépressif; on explique l'angoisse par la peur de l'avenir et les incertitudes liées à un ex-mari qui continue de faire intrusion dans sa vie personnelle. Le jeu de cet homme est clair: il essaie de détacher la fille de sa mère et, en tourmentant ainsi la mère, pense parvenir à ses fins en l'empêchant de terminer ses études, ce qui lui donnerait raison dans ses sombres prédictions. Il aurait alors gain de cause en interférant dans la progression sociale, l'acquisition de l'autonomie personnelle et la future indépendance financière de son ex-épouse. Il lui dit d'ailleurs au téléphone qu'elle n'arrivera jamais à rien, qu'elle ferait aussi bien de rester chez elle et de vivre du bien-être social!

Au moment où nous rencontrons Francine, l'ex-mari a presque réussi ses plans machiavéliques; elle veut arrêter ses études et ne semble plus intéressée à poursuivre ses projets de travail; elle pense aussi qu'elle n'a plus l'amour de sa petite fille et qu'elle l'a perdue. Il faudra toute l'énergie mentale possible mais aussi un certain degré de persuasion pour prouver à Francine qu'elle a choisi une bonne voie et qu'elle doit s'y maintenir coûte que coûte et ce malgré les prédictions néfastes de son ex-époux. Nous lui expliquons d'autre part les raisons qui ont provoqué sa dépression actuelle et qui expliquent ses symptômes assez sévères d'angoisse. Francine ne boit pas, ne mange pas, se trouve prise de tremblements à l'improviste et pense qu'elle va s'évanouir — faiblesse provoquée par un manque de nutrition mais aussi parce qu'elle voit s'écrouler le monde qu'elle s'est péniblement créé; un petit univers trop fragile encore dans sa nouveauté. Elle se sent en même temps impuissante devant cet ex-époux qu'elle abhorre et qui semble vouloir la poursuivre jusqu'à ce qu'elle succombe. Elle ne se perçoit plus comme maîtresse ni de sa vie personnelle ni de sa relation avec sa fille adorée. Elle devient alors le témoin impuissant de sa propre destruction entreprise par un ex-mari qui s'acharne à lui infliger des blessures psychologiques et la mutile par des paroles méchantes et des actes égoïstes.

L'intervention thérapeutique s'est limitée principalement à une analyse de la dynamique de l'angoisse et à l'apport d'un soutien psychologique actif et objectif. L'ensemble de la thérapie que constituaient l'analyse et le support s'échelonna sur six mois. Au début, étant donné ses grands besoins d'aide et de réconfort, Francine prenait des rendez-vous une fois par semaine au moins, et lorsqu'elle se sentait envahie par la panique elle se présentait à la clinique sans rendez-vous. Vers la fin de l'intervention, les rencontres n'avaient lieu qu'une fois par mois et c'est Francine elle-même qui décida un jour d'interrompre les consultations. Elle se sent en paix avec elle-même, elle sait exactement ce qu'elle veut et où elle s'en va. Ses idées sont claires et précises; elle se trouve heureuse et a repris courage. Son ex-mari à complètement disparu du tableau et ne les harcèle plus, ni elle ni sa fille. Il faut dire qu'entre temps il s'est trouvé une nouvelle compagne — un autre être à faire souffrir. La crise est passée. La petite fille a rassuré sa mère en lui réaffirmant son amour; elle ne mentionne même plus le nom de son père. Francine a terminé ses études secondaires et vient de s'inscrire à un cours commercial pour devenir secrétaire comme prévu.

Cette nouvelle orientation se traduit par un certain niveau d'indépendance financière — plus de bien-être social, plus de problèmes critiques d'argent; elle signifie aussi un second pas vers la conquête de l'autonomie, le premier pas ayant été franchi lors de la rupture avec un époux irascible. Francine a su se prouver à elle-même qu'elle était capable de réussir, de se fixer des buts, de les poursuivre et de les atteindre avec succès. Elle a aussi dominé sa peur de l'autre, de l'ex-époux qui pendant des années avait tenté de la rabaisser, l'avait empêchée de s'épanouir et avait essayé de la priver de l'amour que sa fille lui portait.

Nous n'avons pas entendu parler de Francine depuis un an et demi.

Ce dernier exemple nous conduit à parler du problème de l'angoisse: comment faire face à cet état caractérisé par la confusion, l'impossibilité de voir clair en soi et de faire des projets, la peur diffuse de l'avenir et du monde — peur qui s'accompagne dans les cas sévères de la peur de l'autre, et finalement de la peur de soi. La peur de l'autre se manifestera principalement à travers des idées paranoïdes telles que: "les autres me veulent du mal", "ils ne m'aiment pas", tandis que la peur de soi s'exprimera par la peur de devenir folle ou de se faire du mal.

Dans le cas de la dépression, la façon la plus efficace de surmonter les périodes difficiles est d'éviter la solitude et de stimuler l'esprit en ayant des activités sociales, culturelles, sportives ou autres et en se trouvant de nouveaux champs d'intérêt ou bien en retrouvant les anciens. En ce qui concerne l'angoisse, il ne s'agit plus de susciter un soutien actif de la part de l'entourage ni une implication volontaire de la part de la consultante mais plutôt un support sous forme d'assurance et de réconfort tout en dédramatisant les peurs présentes et en les replaçant dans une perspective plus conforme à la réalité, on procédera à une analyse des causes de l'angoisse et à une clarification des buts à atteindre.

L'exemple type d'angoisse, dans son état le plus pur, est donné par la crise existentielle telle qu'elle se vit chez les adolescentes et les adolescents à l'aube de leur vie d'adulte, lorsqu'ils doivent faire face aux très grandes insécurités de l'existence.

* * *

Cinquième cas: Sylvie, jeune fille de dix-huit ans. Elle veut compléter des études secondaires qu'elle n'a pas terminées. Son but est de poursuivre son éducation collégiale mais en même temps elle doit gagner sa vie car elle ne reçoit de sa mère aucune aide financière. Il lui faut aussi se trouver un appartement puisque cette même mère ne veut plus d'elle. Plusieurs questions se posent. Comment tout mener de front, études et travail rémunéré? Où trouver de l'argent pour payer un premier loyer? Comment faire face au rejet affectif que sa mère lui a fait subir?

* * *

Sylvie se retrouve alors seule avec tous ses problèmes: argent, études, avenir, rejet par le seul être présent dans sa vie à ce moment, sa mère. Elle n'a plus aucun soutien; la situation est d'autant plus dramatique que Sylvie ne fait que commencer sa vie d'adulte.

Elle arrive à l'urgence de l'hôpital en état de crise. Sont présents tous les symptômes classiques de l'angoisse avec, comme signes physiques chez cette jeune fille, l'insomnie, les tremblements, les nausées, la peur de s'évanouir à cause d'un affaiblissement soudain et de vertiges et, comme signes psychologiques, des peurs intenses ayant l'allure de phobies véritables: peur de sortir seule, peur de prendre l'autobus et le métro, peur d'aller dans les magasins et refus catégorique de faire quoi que ce soit à l'extérieur du foyer, sinon en compagnie de quelqu'un. Sylvie veut rester à la maison, le seul endroit où elle se sente en sécurité, jusqu'au jour où, n'en pouvant plus, elle se réfugie à l'hôpital.

Sylvie est hospitalisée pendant deux jours au bout desquels elle décide de rentrer chez elle et demande à être reçue en clinique externe. Après une première entrevue, nous optons, Sylvie et moi, pour une psychothérapie brève. Les entrevues s'échelonnent sur une période de quatre mois après lesquels Sylvie, se sentant rassurée et l'esprit plus clair, décide de voler de ses propres ailes.

Quelles sont dans ce cas-ci les causes de l'angoisse, angoisse à la fois diffuse et focalisée?

Remarquons d'abord que ces causes se situent à deux niveaux: au niveau de ce que Sylvie a vécu jusqu'à maintenant, et au niveau de son avenir qui semble s'annoncer comme une continuation de son passé.

Reprenons l'histoire de Sylvie: elle s'est éduquée plus ou moins seule, sans recevoir beaucoup d'attention, excepté de la part de sa grand-mère maternelle qui à l'époque demeurait au foyer. Les figures parentales étaient absentes: Sylvie et sa mère avaient été abandonnées par le père alors que Sylvie était encore bébé; après le départ de ce dernier, la mère de Sylvie avait été forcée de travailler en dehors pour assurer la subsistance de trois personnes, la sienne, celle de la grand-mère et celle de Sylvie. Sylvie ne voyait donc pas beaucoup sa mère, d'autant plus que le soir celle-ci aimait mieux sortir avec ses amis que rester chez elle. Une fois la grand-mère disparue — Sylvie était encore enfant — sa mère essaya de se rapprocher d'elle tout en conservant le type de vie auquel elle était habituée, y compris les sorties nocturnes et l'ingestion d'alcool. À quinze ans, Sylvie, désabusée, part de la maison et va demeurer chez un ami; ce dernier la prie de s'en aller au bout de deux ans. Elle repart donc vivre chez sa mère à l'âge de dix-sept ans. À ce moment, cette dernière partage sa vie avec un nouvel ami et l'adolescente est à nouveau très mal acceptée et par la mère et par l'ami de celle-ci. Des scènes ont lieu entre la mère et la fille: la mère exige de sa fille qu'elle fasse tous les travaux ménagers et prépare les repas, comme contribution, mais aussi comme moyen de lui faire regretter sa décision d'être revenue à la maison et l'inciter ainsi à quitter le foyer. Sylvie pense que sa mère abuse d'elle. Elle éprouve à la fois de la haine, du mépris et de l'amertume vis-à-vis d'elle: de la haine pour le mal que sa mère lui inflige, du mépris parce qu'elle voit celle-ci se laisser dominer par tous les hommes qu'elle rencontre et de l'amertume de ne pas être aimée. En tant que fille, elle a besoin d'elle comme mère et elle la voit se mettre à genoux devant des étrangers qui l'utilisent et se moquent d'elle.

Il est évident que, d'après son histoire, Sylvie a eu une enfance et une adolescence empreintes d'incertitudes, rejetée par ses deux parents, mais surtout par sa mère qui, bien que toujours présente dans la vie de sa fille a maintenu, au cours des ans, une relation fortement ambivalente avec elle, la voulant malgré elle, ou plutôt ne la voulant pas. Lorsque sa fille décide de rester auprès d'elle, sa mère lui impose des conditions d'esclave-servante. Ayant besoin de sa mère comme soutien et protection face au monde des adultes, monde qu'elle perçoit et a déjà perçu hélas dès l'enfance comme cruel et ingrat, la jeune adolescente accepte ces conditions serviles pour recevoir un peu de chaleur humaine, c'est-à-dire, sinon avoir de l'affection, tout au moins sentir une présence auprès d'elle. Elle n'a que sa mère comme famille, n'ayant pas encore, à son âge, développé des amitiés solides ni trouvé des amis compatissants — le seul qu'elle ait eu, à l'âge de quinze ans et jusqu'à présent, l'ayant lui aussi laissée pour compte. Pour éviter la solitude, l'angoisse de se retrouver face à elle-même et à sa tragédie de vie dans un logement qu'elle aurait eu des difficultés à payer — n'ayant pas d'argent et sa mère refusant de l'aider — pour éviter la peur de vivre loin de cette pseudo-famille si ingrate soit-elle, pour éviter les incertitudes de la vie et l'égoïsme toujours présent des autres, cette jeune fille de dix-sept ans préfère choisir une situation très instable. Pourquoi? Elle en connaît les différentes facettes même si celles-ci se révèlent bien traumatisantes et bien angoissantes parfois dans leur imprévisibilité car, dans l'esprit de Sylvie comme dans celui de la majorité des gens, *mieux vaut les incertitudes et les conflits d'une situation déjà vécue et expérimentée maintes fois que ceux d'une situation tout à fait nouvelle.* Pour Sylvie, étant donné ses expériences passées, c'est un monde déjà plus ou moins pressenti comme difficile et sans pitié qui se présente à elle dans l'avenir.

Sylvie retourne donc habiter chez sa mère, qui vit avec le dernier de ses amis. La situation est bien sûr très dure pour la jeune fille qui tente de ramasser les miettes d'une affection que la mère donne presque en totalité à son partenaire. Elle reçoit peu d'attention positive, peu de compliments, peu d'amour et se trouve surtout l'objet d'attentions négatives, de réprimandes et de rejet: par exemple, lorsque le dîner n'est pas prêt à l'heure demandée ou que le ménage est mal fait ou pas fait du tout, choses qui arrivent relativement souvent puisque c'est la seule façon d'attirer l'attention et les regards de la mère, cette dernière se mettra en colère et demandera à Sylvie de s'en aller.

Au fil des mois, dans ce climat psychologique très propice au développement de l'anxiété puisque fait de menaces, de la peur du lendemain, d'espoirs qui ne se réalisent jamais, un état d'angoisse se structure et s'actualise dans sa symptomatologie coutumière par des signes psychologiques et physiques [6]: peurs inextinguibles rappelant les phobies, peur du monde extérieur, des gens autour de soi, idées paranoïdes, peur de s'évanouir, de se donner en spectacle, de devenir folle, toutes ces peurs s'accompagnant de leurs composantes physiques, tremblements, insomnies, manque d'appétit, nausées, asthénie.

Sylvie est hospitalisée. Pour calmer son angoisse et lui permettre de mieux dormir, on lui administre un hypnotique. Deux jours plus tard, elle décide de sortir de l'hôpital et d'entreprendre une psychothérapie brève. Durant les entrevues, les mécanismes de formation de l'angoisse lui sont expliqués: la façon dont cette angoisse s'est développée par le maintien des peurs et des incertitudes face à l'existence, au monde, aux gens, à l'avenir, par l'accumulation des frustrations et des conflits avec la mère, par le rejet ouvert que cette dernière lui a fait subir. On lui explique aussi la façon dont l'angoisse se traduit au niveau physiologique — tremblements, nausées, vertiges et céphalées. Sylvie veut avant tout apprendre à contrôler son angoisse et ne plus se sentir envahie par la peur, surtout celle de l'avenir qui a réactivé ses peurs d'autrefois et a entraîné l'apparition de ces conduites de fuites appelées phobies [7]. Par le processus de verbalisation et de réflexion sur son passé, Sylvie prend conscience d'elle-même, de ce qui est arrivé dans sa vie; ses idées deviennent moins confuses, plus précises et, petit à petit, elle se rend compte de ce qu'elle doit faire elle-même si elle veut mener une vie un peu moins tourmentée. En temps que thérapeute, mon rôle est non seulement un rôle d'éducatrice, mais aussi de soutien en la rassurant au sujet de ses angoisses. Elles sont le

---

6. Nous expliquerons les liens entre le psychologique et le physique et leur influence récriproque dans un prochain livre.
7. Nous avons expliqué, de façon détaillée, la formation de la conduite phobique dans notre deuxième volume.

produit de notre existence à tous en tant qu'êtres humains mais aussi le résultat de conditions de vie particulières dans son cas. À cela s'ajoutent les difficultés inhérentes au stade présent de sa vie, transition entre son existence de jeune adolescente et celle de son devenir adulte. Je suis à la fois personne-ressource et guide dans les choix à déterminer.

Dans l'exemple présent, il s'agit pour Sylvie de quitter sa mère et de la laisser vivre sa vie de femme. Cette décision implique avant tout qu'elle se trouve un revenu mensuel. Comme les offres d'emploi sont rares, elle fait une demande au Bien-être social, demande qui est d'ailleurs acceptée. Une fois ce revenu assuré, Sylvie part à la recherche d'un petit logement très bon marché qu'elle trouve sans difficulté. Sa mère, très heureuse de la voir partir pour "de bon", l'aide à se meubler en lui fournissant des ustensiles de cuisine, une table, des chaises et un lit. L'esprit un peu libéré de ses soucis matériels, Sylvie est allée s'inscrire pour finir son secondaire; cela lui permettra d'avoir accès à une éducation supérieure. Finalement, pendant cette période de gros changements, elle a rencontré un jeune homme avec lequel elle entretient une relation amicale, sinon amoureuse. Ce dernier, âgé de vingt ans, demeure avec ses parents et ceux-ci acceptent très bien Sylvie et la relation que leur fils maintient avec elle.

Au début de la crise, prise de panique, Sylvie demanda des somnifères qu'elle continua à prendre pendant les dix jours qui suivirent sa brève hospitalisation, puis elle les abandonna d'elle-même. Afin de réduire la tension physique qu'elle ressentait dès qu'elle était nerveuse, Sylvie décida de faire des exercices de yoga, technique qu'elle venait tout juste d'apprendre et qu'elle utilisait avec succès. Quant aux idées angoissantes, à l'inquiétude et à l'incertitude, nous nous sommes efforcées de les lui expliquer aussi clairement que possible en les remettant dans une perspective à la fois normative — l'angoisse fait partie de l'existence de tout être vivant — et particulière à son cas. Ces explications eurent pour résultat de réduire l'intensité de ses angoisses en leur enlevant leur aspect effrayant et dramatique et de rassurer la jeune fille, car elle était convaincue d'être la seule au monde à souffrir d'angoisse et pensait succomber à la folie. Sylvie savait d'autre part qu'elle pouvait me contacter quand elle en avait besoin, chose qu'elle fit très rarement, mais cette possibilité ne pouvait que la rassurer; elle aurait toujours quelqu'un à qui parler.

Quatre mois après la grande crise, les signes physiques et psychologiques de l'angoisse s'étaient résorbés en totalité: la rigidité musculaire, surtout au niveau de la nuque, les étourdissements et les nausées avaient disparu, de même que les phobies, celle de sortir de la maison et de prendre l'autobus. L'angoisse se situait alors dans les limites de la normale. Sylvie interrompit elle-même les entrevues. Nous lui avions rappelé de nous téléphoner dès qu'elle en aurait besoin au lieu d'attendre jusqu'à ce que la crise devienne trop grave.

Sylvie a interrompu ses entrevues depuis environ six mois. Nous n'en avons pas eu de nouvelles.

* * *

Sixième cas: angoisse quant à l'identité sexuelle. Jeune fille de vingt-cinq ans très troublée au niveau de son identité sexuelle: elle ne sait pas si elle est plus attirée émotivement vers les femmes ou vers les hommes. Physiquement, elle n'a connu qu'un homme, un parent proche qui, alors qu'elle n'avait que sept ans, la séduisit et poursuivit ses pratiques de séduction jusqu'au moment où elle décida de partir de la maison, c'est-à-dire à l'âge de dix-sept ans.

* * *

Denise demande à être reçue en psychothérapie pour "clarifier son identité" car, depuis deux ans, elle se sent de plus en plus confuse, et ce d'autant plus que, selon elle, les deux psychothérapies qu'elle avait entreprises mais aussi arrêtées ont augmenté cette confusion. Denise est très insatisfaite de sa vie présente.

Le travail en thérapie, nous le prévoyons, sera très long: il y a beaucoup d'éléments négatifs dans sa vie. Elle est passée à travers deux psychothérapies qui, au lieu de rétablir un équilibre psycho-sexuel déjà très fragile, n'ont fait qu'ajouter à la confusion pré-existante. D'autre part, la perception qu'elle a des hommes demeure très négative: Denise n'arrive pas à concevoir l'image masculine sous d'autres thèmes que ceux de l'hostilité et de la méfiance. En troisième lieu, l'impression générale qu'elle donne n'est pas très favorable; Denise se laisse aller dans son apparence physique: elle est obèse et vêtue de façon négligée, ce qui ne l'aide certainement pas à capter les regards masculins.

Pour ce qui est de l'étiologie des difficultés présentées par Denise, plusieurs questions se posent a priori aussi bien au niveau de la constitution physique qu'au niveau de la structure psychologique. Premièrement, est-ce que Denise souffre d'un trouble hormonal qui expliquerait son physique masculinisé et la confusion au niveau de son identité sexuelle? Se sentirait-elle alors inconsciemment homosexuelle à cause d'une déficience en oestrogène par exemple? Ou autre hypothèse possible, est-ce que l'incertitude de Denise face à son orientation sexuelle aurait été provoquée par l'apparition de facteurs socio-affectifs significatifs tels que les habitudes libertines de son oncle, une figure maternelle pas représentée et une figure paternelle demeurant une image menaçante?

En effet, le père de Denise était à la fois dominateur et dévalorisant. Il n'avait aucune confiance en sa fille et la considérait comme une incapable et une idiote. Il refusa d'ailleurs de la croire lorsqu'elle finit par lui confier ce que son oncle lui avait fait subir. Le manque de confiance était devenu par la suite réciproque. Denise se sentait donc abusée de tous côtés, physiquement et mentalement, par la figure masculine représentée par le père et l'oncle. Dans son espoir d'être protégée et comprise, elle recherchait une figure féminine parfaite à qui se confier, sa mère ayant disparu quand elle était encore enfant.

La réponse à la première question servira aussi de réponse à la seconde. À notre demande, Denise alla consulter un endocrinologue. Après avoir subi plusieurs séries de tests sanguins négatifs, on en conclut à une absence de dysfonctionnement hormonal; seuls donc les facteurs psychologiques demeuraient, et ceux-ci étaient d'importance.

Nous allons tenter de travailler avec Denise à deux niveaux: au niveau de la réflexion dans laquelle elle s'est enfermée au cours de ces dernières années et au niveau de son apparence physique.

En ce qui concerne son apparence physique, Denise n'est pas très consciente de sa corpulence. Comme elle ne perçoit pas le handicap que représente son image corporelle, il lui sera très difficile de changer, en particulier de modifier ses habitudes alimentaires désastreuses qui sont à l'origine de son adiposité. Comme Denise le rapporte elle-même, elle n'aime pas faire la cuisine et préfère acheter des frites, des hot dogs, des hamburgers, enfin toutes ces choses riches en hydrates de carbone et qu'elle adore. Dans la modification de son régime alimentaire, les essais se solveront donc par un échec: elle refuse de suivre le régime proposé par la diététicienne. Denise semble se plaire dans sa corpulence.

La psychothérapie proprement dite durera un an et demi et l'évolution se fera sur plusieurs plans. En premier lieu, l'anxiété qui paralysait Denise et l'empêchait de faire quoi que ce soit dans la vie finira par perdre de son intensité. Lorsque Denise commença ses entrevues, elle ne savait pas ce qu'elle allait faire dans un avenir proche ou lointain. Elle hésitait entre terminer ses études collégiales ou se lancer sur le marché du travail. Pendant toute une année, Denise fut enfermée dans ce dilemne, ne se sentant pas capable de prendre de décision et restant chez elle à se morfondre. Elle ne pouvait plus continuer ses études mais elle ne pouvait pas non plus aller sur le marché du travail. Elle parvint finalement à faire un choix approprié à la situation du moment en optant pour un travail rémunéré qui non seulement lui permettait de vivre de façon décente, mais aussi la valorisait beaucoup psychologiquement et moralement: on lui avait donné un poste d'aide-infirmière. À l'heure actuelle, Denise se "sent utile" et a repris courage; elle est plus gaie aussi. Elle commence à reprendre goût à la vie, fait des plans pour un futur plus éloigné, comme reprendre et compléter ses études collégiales dès qu'elle aura assez d'argent. Au niveau de son apparence générale, Denise a aussi changé: elle s'habille maintenant de façon soignée et attrayante; seul le régime laisse à désirer! Durant la thérapie, une autre grande décision sera prise: celle de retourner vivre là où elle avait commencé sa vie d'adulte; Denise dit se sentir bien dans ce secteur de la ville: elle s'y "retrouve". Voici donc le côté concret de l'apport thérapeutique.

À un niveau plus abstrait, il reste encore beaucoup à faire. Le problème originel présenté comme le plus important au moment de la première entrevue, c'est-à-dire la confusion concernant l'identité sexuelle, est en cours de résolution. Denise a commencé à faire l'analyse de ses sentiments vis-à-vis des figures masculines et féminines avec lesquelles elle a entretenu des contacts ambivalents tout au long de sa vie. Bien que la question de savoir si, sexuellement, elle est plus attirée par les femmes que par les hommes ou vice-versa ne soit pas résolue, Denise n'ayant jamais eu de relations amoureuses avec des femmes et n'ayant subi que passivement, dans la honte et dans la peur, les caresses d'un homme, elle apprend à analyser ses difficultés.

Tout au long de sa vie d'adolescente, elle a été entourée de figures masculines qui ont eu une influence négative sur elle, à commencer par l'oncle qui prit avantage de la situation — une jeune nièce timide et peureuse — pour satisfaire des phantasmes libidineux, et aussi un père qu'elle nous décrit comme dominateur et méprisant à son égard. Il la critiquait chaque fois qu'elle essayait de faire quelque chose, trouvant toujours que ce qu'elle faisait n'était jamais bien. Denise prit l'habitude de se sentir comme le "mouton noir" de la famille, à cause de ce père toujours prêt à la rabaisser devant tout le monde. Elle en a retiré un fort sentiment d'infériorité, qui se manifeste à tout propos dans ses paroles et ses conduites: elle a tendance à s'orienter plus vers la non-implication que vers l'action directe dans ses entreprises personnelles — que celles-ci soient du domaine professionnel, scolaire, social ou intime — et à préférer l'ambivalence plutôt que d'opérer des choix, car elle ne se sent jamais vraiment sûre de ce qu'elle devrait faire. Ceci se reflète parfaitement dans son absence d'orientation sexuelle; elle n'arrive pas à décider de ses préférences entre les hommes et les femmes.

Denise a développé des attitudes assez prononcées de passivité, d'indécision et d'incertitude, se plaçant toujours en position d'expectative, attendant de recevoir — avec tout le monde, femmes et hommes, mais surtout avec les femmes. En effet, elle s'est créé une image féminine tout à fait irréaliste, très idéalisée: elle attend des femmes autour d'elle toute l'affection, tout le support, tout l'amour qu'elle n'a pu recevoir de sa mère, celle-ci étant morte alors que Denise était encore adolescente. Prenant toute femme comme modèle maternel, Denise joue à l'enfant; elle poursuit d'ailleurs ce jeu en thérapie, faisant des caprices, venant à ses sessions quand cela lui plaît, arrivant en retard, boudant ou critiquant le travail de thérapie. Elle exige beaucoup des femmes qu'elle veut parfaites; si celles-ci ne montrent pas le degré de perfection attendue, Denise devient agressive et amère à leur égard en les accusant de mille terribles défauts. Il demeure que, dans l'ensemble, Denise donne l'impression de mieux se plaire en compagnie des femmes: celles-ci sont moins menaçantes que les hommes et elle peut les chasser de sa pensée et de sa vie quand elles ne font pas l'affaire. Elle se trouve toujours un "nouvel objet" à idéaliser.

Quant à sa perception de l'homme, celle-ci demeure immuablement concrète dans sa négativité; ce qu'elle a vécu avec son oncle et son père l'ayant marquée de façon indélébile, elle ne cherche pas à se dégager de cette optique négative et ne se donne pas non plus l'occasion de rencontrer d'autres hommes. Elle continue de les percevoir comme des êtres dont il faut se méfier parce qu'ils peuvent blesser. Il faut bien dire que l'élargissement de son cercle de connaissances masculines n'est pas facile puisque d'une part Denise n'aime pas sortir et d'autre part elle ne fait aucun effort pour se rendre attrayante à leurs yeux. Pourtant elle sait très bien que si elle se faisait des amis elle pourrait découvrir que les hommes ne sont peut-être pas tous comme son oncle et comme son père. En imagination, Denise phantasme beaucoup au sujet d'un collègue de travail pour lequel elle ressent de l'admiration et vers lequel elle se sent attirée, mais aucune ébauche de relation n'a été tentée jusqu'à maintenant.

Au cours de la thérapie, Denise parle peu de sa mère et l'image qu'elle en conserve semble assez floue; ce qui revient le plus souvent dans la conversation, ce sont ses difficultés à former des relations amicales stables avec les femmes et les hommes, ainsi que la solitude, l'isolement, les sentiments d'abandon et la tristesse qui s'ensuivent. Durant ces moments difficiles, elle évoque des souvenirs traumatisants: l'oncle et les caresses qu'elle subissait de ce dernier, le père accusateur et toujours partial, une compagne de chambre qui, pense-t-elle, sema le trouble dans sa pensée.

De fait, à l'âge de dix-neuf ans et pendant quelques années, Denise partagea un appartement avec une autre jeune fille de son âge. D'après elle, cette compagne se serait plue, au cours des années, à la provoquer — involontairement ou volontairement, elle ne sait pas exactement — par des jeux et des sous-entendus. Denise s'est de toute façon attachée émotivement à cette femme qui, au fil des ans, combla chez Denise le vide émotif qu'elle avait toujours ressenti. Hélas, la compagne de Denise rencontra un homme qui lui plaisait et partit vivre avec lui, abandonnant Denise. Celle-ci se retrouvait seule à nouveau et encore une fois abandonnée par une femme.

Parce qu'elle s'était profondément attachée émotivement à une femme étrangère à la famille et parce qu'elle ressentait cette disparition de façon profonde et violente, la pensée d'être homosexuelle devint très obsédante; cette idée revenait avec une telle intensité qu'elle prit l'allure d'une réalité vécue. Denise était de plus en plus perdue, de plus en plus confuse. Elle se posa maintes questions, celles-ci demeurant sans réponses. L'angoisse commençait alors son travail d'érosion. C'était la série habituelle de questions sans réponses que l'on se pose dans ces moments de panique, les "qu'est-ce qui va m'arriver", "je n'ai pas de chance, pourquoi", "personne ne m'aime, pourquoi", "je suis finie", "mais, qu'est-ce que j'ai fait de mal pour que cela m'arrive", "est-ce que je n'aurais pas dû agir autrement", "si j'avais su", "je n'ai pas su garder son amitié". C'était aussi la série des questions — constatations spécifiques de son cas: "est-ce que je suis homosexuelle, "je me sentais bien avec elle", "elle me manque", "elle m'a fait du mal", "je me sens seule sans elle".

Au cours de nos entretiens hebdomadaires — ou qui tout au moins étaient planifiés comme tels, car Denise avait l'habitude, par périodes, de ne pas venir aux rendez-vous fixés et de ressurgir pour sa thérapie quand cela lui disait —, Denise apprit à faire le point sur sa situation sentimentale. Progressivement, et au fur et à mesure de ses verbalisations et des mois, elle parvint à saisir son vécu et, en particulier, ce qui l'avait amenée à se croire homosexuelle même si elle n'éprouvait pas d'attraction physique pour les femmes. Son attraction émotive pour les femmes était basée sur une double réalité. Une facette correspondait à l'absence de sa mère qu'elle voulait combler; elle recherchait une mère qui aurait pu l'aimer, l'aider, la comprendre et surtout la protéger contre les terribles figures masculines évoluant autour d'elle. L'autre facette représentait l'existence de ces mêmes figures masculines dégradantes, l'une abjecte, l'autre humiliante, qu'elle ne pouvait oublier. Une seconde difficulté dans la formation de liens avec la figure masculine venait de son apparence physique, son obésité qui, dans son cas, traduisait le refus de sa féminité. Denise était devenue très consciente de ces différentes réalités mais elle ne se sentait pas prête à changer.

L'attraction vis-à-vis de la figure féminine représente, dans ce cas précis, une réalité fantasmatique par défaut, c'est-à-dire due à l'absence d'une figure masculine bonne auprès de laquelle Denise aurait pu trouver l'amour, la sécurité et le bonheur. Elle avait idéalisé la figure féminine en se raccrochant à une image plus sympathique de celle-ci bien que, même dans ses contacts avec les femmes — nous pensons à l'amie avec qui elle cohabita et à ses deux thérapeutes-femmes — Denise ait été bien déçue. Après réflexion, elle s'est aperçue en effet que ces trois femmes ayant pris un rôle significatif dans sa vie avaient poursuivi leur propre dessein indépendamment de ce que Denise recherchait auprès d'elles: la compagne d'appartement se maria; la première thérapeute, une ex-religieuse, tenta de lui montrer la voie de la religion tandis que la seconde thérapeute, par intérêt particulier, préféra lui faire partager ses expériences d'ésotérisme. Selon Denise, ces trois femmes, au lieu de l'aider et de la supporter, l'avaient rendue encore plus confuse. Elle n'avait reçu ni l'attention désirée, ni l'aide, ni l'amour dont elle avait besoin.

Nous avons revu Denise dernièrement depuis qu'elle travaille dans un milieu dans lequel elle côtoie des hommes aussi bien que des femmes, milieu qui lui permet de mettre la réalité à l'épreuve; elle a donc amplement l'occasion de réviser ses perceptions, aussi bien en ce qui concerne les hommes que les femmes. Il est intéressant de remarquer que le premier attachement qu'elle a su développer dans son milieu de travail fut à l'égard d'un homme. En thérapie, Denise commence à analyser de façon plus critique et plus objective ses relations passées avec les femmes et avec les hommes, ses besoins intenses d'affection, de protection et de reconnaissance, besoins accentués par le rejet du père et l'absence de la mère. Ce rejet et cette absence modelèrent sa tonalité affective vis-à-vis de la figure masculine — peur de la sexualité, honte, dégoût, effroi — et vis-à-vis de la figure féminine — attente jamais comblée d'un amour inconditionnel.

Denise est en thérapie depuis un an et demi.

* * *

Septième cas: angoisse à l'endroit du travail. Sonia a trente ans. En treize années d'emploi, elle a changé douze fois de travail. Elle ne sait pas ce qui se passe et elle se pose beaucoup de questions à son propre sujet. Que va-t-elle devenir? Que va-t-il lui arriver? Va-t-elle garder son emploi ou pas? Pourquoi devient-elle impatiente et part-elle au bout de quelques semaines? Pourquoi est-elle toujours insatisfaite?

* * *

Sonia nous consulte pour une période de six mois après laquelle il est convenu qu'elle appellera pour des rendez-vous dans le cas où elle en aurait besoin.

Son histoire est l'histoire assez caractéristique des jeunes femmes occidentales issues de milieux moyens. Le père est rarement à la maison; il travaille beaucoup pour que toute sa famille — une épouse, quatre enfants et lui-même — vive "bien": maison équipée, voiture, éducation secondaire pour les quatre enfants. Par contre, et comme à l'habitude, la mère demeure au foyer: elle s'occupe de l'éducation et du bien-être des enfants tout en demeurant attentive aux besoins de son mari; en bref, elle sait bien administrer son foyer. Sonia a toujours perçu son père comme lointain, autoritaire, impulsif et "menant une vie dure à sa mère", laquelle est décrite comme douce, "bonne" mais trop "mère poule". Sonia a tendance à prendre le parti de sa mère et considère les hommes comme égoïstes et méchants.

Au niveau personnel, il ressort que Sonia a toujours adopté des conduites d'évitement quant aux hommes, aussi bien dans ses relations professionnelles qu'affectives et même thérapeutiques. Sonia quitte ses emplois à peu près chaque année parce qu'elle s'ennuie, que son travail manque d'intérêt et que son patron se montre trop autoritaire. Toujours en colère, frustrée et impatiente de prouver sa compétence et ses capacités, elle s'emporte et laisse chaque fois tomber un patron "sourd" à ses requêtes et "aveugle" à ses qualités. Sonia a aussi abandonné une psychothérapie à son tout début parce que le thérapeute ne lui montrait pas les marques habituelles de respect et n'avait aucun tact dans ses paroles. Finalement, dans ses relations intimes avec chaque homme qu'elle a rencontré jusqu'à maintenant et avec qui elle a essayé d'établir une relation amoureuse, Sonia finit toujours par découvrir quelque terrible imperfection inhérente à cet homme, imperfection qui rend la relation non seulement cahotique à court terme, mais impossible à long terme: ce peut-être soit l'alcoolisme invétéré de l'amoureux soit son homosexualité qui devient si flagrante qu'elle ne peut plus l'ignorer soit des devoirs conjugaux qui retiennent un troisième dans son foyer.

Sonia cherche évidemment à prouver sa valeur comme femme-personne vis-à-vis des hommes qu'elle côtoie dans tous les domaines de sa vie: dans sa profession, elle veut obtenir la reconnaissance qui lui est due comme personne compétente; en thérapie, elle attend de son thérapeute des marques de respect que celui-ci semble ignorer; dans ses relations intimes, elle aspire à la compréhension, à l'amour et à l'affection que ni elle ni sa mère n'ont su gagner auprès du père. Sonia recherche donc ce qu'elle n'a jamais reçu d'un homme mais qu'elle sait exister en elle et en dehors d'elle comme femme-personne: reconnaissance, respect, amour. Hélas, ses exigences sont bien grandes puisqu'elle n'est qu'une simple femme évoluant dans un monde pensé par et pour des hommes!

Le problème de Sonia est le problème de beaucoup de femmes modernes qui prennent conscience de leur valeur et exigent naïvement de voir leurs désirs immédiatement comblés. Qu'est-il arrivé à Sonia?

Après six mois de thérapie durant lesquels elle travailla sur ses angoisses devant l'avenir et sur ses frustrations comme être humain, Sonia interrompit d'elle-même les entrevues. Elle se sentait beaucoup mieux; elle pouvait à nouveau prendre rapidement des décisions, sans ambivalence trop prononcée; elle pouvait faire des choix et ses idées étaient plus claires au sujet de sa vie de femme.

Un an plus tard, Sonia demande une entrevue. Elle se pose à nouveau des questions au sujet de son avenir, de ce qu'elle devrait faire.

Deux ans plus tard, Sonia revient pour faire le point dans sa vie. Elle ne demande pas l'entrevue pour des conseils ou un soutien psychologique, mais pour dire ce qu'elle a accompli durant ces deux années et demi de prise de conscience.

Sonia aime enfin le travail qu'elle a. Elle a trouvé un employeur qui lui laisse prendre des initiatives, des décisions et des responsabilités. Elle dit qu'elle est devenue plus autonome, plus sûre d'elle-même. Elle se sent beaucoup plus stable émotivement, stabilité favorisée par un travail à la hauteur de sa compétence et bien rémunéré. Ce nouvel équilibre se reflète aussi au niveau psychologique: Sonia est moins inquiète, moins peureuse et se pose moins de questions sur ce que la vie lui réserve. Elle a abandonné sa quête désespérée d'une relation amoureuse parfaite qui, elle en a fait l'expérience, n'existe pas excepté dans ses rêves. Nous pouvons dire que Sonia a développé une certaine philosophie de la vie en apprenant à fonctionner de façon autonome, ce qui a pour effet de la rendre moins angoissée au sujet de l'avenir, beaucoup plus stable dans son travail et moins inquiète dans ses relations amoureuses. Elle ne sent pas le besoin d'avoir toujours un homme auprès d'elle pour la soutenir ou la complimenter.

Plus d'un an s'est écoulé depuis la dernière entrevue avec Sonia. Elle n'a pas rappelé.

* * *

Huitième cas: angoisse face au vécu de mère et d'épouse chez une femme mariée, mère de quatre enfants et demeurant au foyer.

* * *

Line nous a été référée par le psychologue scolaire de l'école que fréquente sa fille aînée. Line a trente ans; sa fille aînée en a dix. Le psychologue avait observé que, malgré son intelligence, l'enfant n'avait pas un bon rendement. Elle souffrait selon lui de carence affective explicable par l'isolement émotif dans lequel sa mère la maintenait.

Troublée par les observations directes et bien explicites formulées par le psychologue, Line vient nous consulter parce qu'elle se sent coupable; elle vient donc "à reculons".

Line dit être "allergique" à sa fille aînée et "ne peut pas la souffrir". Elle lui a d'ailleurs dit bien en face qu'elle ne l'aimait pas; à plusieurs reprises, elle a même pensé la faire adopter mais le mari de Line se serait opposé à une telle solution.

Line a été mariée une première fois à dix-neuf ans alors qu'elle était enceinte de son futur mari, un jeune homme de son âge. Ils vivaient tous les deux d'expédients et tous les deux prenaient des hallucinogènes. Alors qu'elle était enceinte, son ami l'obligea à se produire comme "danseuse dans un cabaret", tout cela pour rapporter un peu d'argent au foyer car lui ne voulait rien faire, excepté passer son temps en compagnie d'autres femmes. À plusieurs reprises, les époux se séparèrent, le mari s'en allant à l'occasion et au gré de son humeur. Après quelques mois de ce genre de vie cahotique et très angoissante puisqu'elle ne savait jamais ce que son mari allait trouver de mieux à faire pour lui rendre la vie impossible, Line prend la décision de divorcer. Elle élève sa petite fille toute seule. Le bébé est sans problème, calme et tranquille; elle ne pleure pas, elle n'est pas exigeante et ne requiert pas d'attention constante. Trois ans plus tard, elle rencontre l'homme qui deviendra son second mari. Ils vivent ensemble depuis sept ans. Trois autres enfants naissent de ce deuxième mariage. Line se dit maintenant heureuse. Elle trouve que son mari est "en or" et elle aime ses trois derniers enfants, mais au cours de la thérapie nous découvrirons qu'il en va autrement.

Dans une première entrevue, Line nous fait part de ses sentiments de culpabilité mais, en même temps, de son hostilité à la fois très vive et très consciente vis-à-vis de sa fille aînée, hostilité qu'elle ne peut pas contrôler. Troublée par les pensées contradictoires qui envahissent son esprit, elle pleure beaucoup et à plusieurs reprises. Elle veut qu'on l'aide mais elle démontre une certaine ambivalence quand on lui suggère une psychothérapie qui, de toute évidence, se trouve être la seule solution pour régler les difficultés qu'elle vit depuis nombre d'années.

Line a passé une grande partie de son existence dans l'angoisse des lendemains, la peur d'être battue et d'être rejetée par les êtres qui l'entourent. Cela a commencé lorsque sa mère fut tuée dans un accident de voiture. Line avait cinq ans. Son père se remaria aussitôt avec une très jeune femme qui eut à prendre le rôle de mère auprès de sept enfants en bas âge. Line se rappelle sa belle-mère comme étant une femme jalouse et méchante. D'après Line, pour s'assurer l'amour et l'attention de son mari, sa belle-mère se serait toujours arrangée pour faire commettre des "fautes" aux enfants, fautes qu'elle dénonçait par la suite au mari à son retour du travail. Quant au père, il demeurait une figure assez lointaine, l'impression retenue par Line étant qu'il communiquait avec ses enfants uniquement à travers la mère-substitut et pour administrer des punitions. Line ne reçut donc de la part de ses parents aucune affection et aucun amour durant son adolescence. Que ce soit par absence — la mort de la vraie mère — ou par rejet, rejet affectif par la mère-substitut et par le père, l'amour maternel et paternel lui étaient inconnus. Par contre, Line avait appris à subir des frustrations et des blessures d'amour-propre et à n'avoir confiance ni en elle-même ni dans les personnes adultes qui auraient dû lui servir de modèle. Très certainement révoltée, pleine de rancune et de colère pour ce monde ingrat, elle partit de la maison à l'âge de quinze ans dans le but de vivre sa vie comme elle l'entendait. Ainsi qu'il est courant de l'observer chez les jeunes adolescents ou adultes présentant une carence affective, elle se lança dans des expériences plus ou moins dangereuses pour son équilibre personnel, expériences qui servaient à combler son ennui et à oublier ses peines tout en lui apportant un ersatz de reconnaissance et d'amour en maintenant l'illusion de se sentir acceptée et aimée. Sa première grossesse fut très mal vécue: tout d'abord Line ne voulait pas le bébé; résignée par la suite, elle espérait avoir un fils, ce fut une fille. Line n'aima jamais cette fille; elle ne s'aimait pas elle-même. Pour rendre la situation encore plus difficile, elle avait à faire face en même temps à beaucoup de problèmes et non les moindres, comme celui de sa survie et de celle de son bébé.

Au cours de la thérapie que Line accepta de suivre "pour sa fille", nous avons découvert que les trois autres grossesses ne furent pas beaucoup mieux acceptées, quoique la situation maritale ait été différente: Line est maintenant mariée avec un homme beaucoup plus stable, beaucoup plus responsable que son premier mari. Elle vit des problèmes avec ses trois autres enfants: peut-être son énervement et son manque de patience sont-ils moins prononcés et moins virulents avec les trois plus jeunes qu'avec sa fille aînée, mais ils existent. Line est consciente de son incapacité comme mère. De même, son époux qu'elle décrit et qu'elle perçoit comme parfait a aussi le don de l'énerver; elle se sent donc aussi inadéquate comme épouse, ne répondant que peu et mal à ses avances et ne trouvant pas de plaisir dans la sexualité. Elle ne sait même pas si elle aime son mari. Chez Line, nous découvrons une insécurité de base qui l'empêche d'être elle-même en tant que femme, mère et épouse et d'être satisfaite de ce qu'elle fait tout en étant heureuse d'être ce qu'elle est. La haine profonde qu'elle ressent vis-à-vis de sa fille aînée n'a d'égale que la confusion dans laquelle elle se trouve vis-à-vis de sa propre personne.

La psychothérapie consiste en une révision du passé et dans la mise en place d'une nouvelle structure de pensée. Line apprend tranquillement à découvrir la richesse de ses idées et leur complexité. Elle est toute étonnée de s'apercevoir de leur influence sur son humeur. Line se sent revivre: plus gaie, pleine d'entrain et moins soucieuse. Elle se surprend à élaborer des projets pour son avenir au fur et à mesure que diminuent la confusion de sa pensée ainsi que l'ambiguïté de ses sentiments vis-à-vis de sa famille, et au fur et à mesure qu'elle acquiert progressivement une plus grande force émotive pour faire le point sur ses relations affectives et émotionnelles, présentes et passées, avec ses proches. Plus elle apprend à se connaître et à saisir les raisons de ses façons d'agir d'autrefois et de maintenant, plus elle apprécie la compagnie de son mari et de ses enfants.

En étant plus attentive à elle-même, Line devient plus attentive à sa famille et commence, littéralement, à voir sa grande fille avec de nouveaux yeux: elle la trouve belle, intelligente et ne la rejette plus comme autrefois. En essayant de se comprendre elle-même, Line réalise que ce qu'elle a fait subir à sa fille aînée est la réplique exacte de ce qu'elle a subi elle-même avec sa belle-mère: ayant été mal aimée, elle aimait mal. Elle commence à maîtriser ses sentiments négatifs et laisse sa fille vivre un peu plus tranquillement, sans toujours la réprimander et la punir de façon brusque et arbitraire. La petite va d'ailleurs en thérapie elle-même et la relation entre mère et fille s'améliore très rapidement. Line a fini par découvrir qu'elle aimait sa fille et elle le lui a dit de façon spontanée, sans s'y sentir obligée. L'enfant s'épanouit elle aussi: elle sourit davantage, devient moins maladroite et beaucoup plus prévenante.

La relation avec l'époux garde une certaine fragilité qui s'était accentuée en fait au début de la thérapie de Line. En effet, à mesure que Line se trouvait de plus en plus ravie des modifications qu'elle avait effectuées dans sa façon de voir les choses, le mari, lui, se sentait de plus en plus menacé par une thérapie qui "changeait" sa femme. Souvent, dans ses accès de colère et de jalousie, il lui demandait de choisir entre la thérapie et lui. Bien sûr, ces ultimatums ne servaient à rien sinon à rendre les époux encore plus fâchés l'un contre l'autre. Le mari décida finalement "de faire quelque chose" lui aussi dans son désir de s'adapter aux transformations opérées chez sa femme car il les trouvait positives pour la plupart. Il demande alors à être vu en thérapie individuelle. Nous lui recommandons de consulter une autre thérapeute.

Line et son mari sont toujours en thérapie. Au moment où nous écrivons, Line, qui venait de découvrir combien elle aimait sa fille aînée, se rend compte de son attachement pour son mari.

* * *

Les trois derniers cas que nous allons rapporter représentent de façon typique chacune des trois entités psychoculturelles et cliniques identifiées de longue date chez la femme.

* * *

Neuvième cas: névrose hystérique chez une femme mariée de trente-huit ans avec un enfant.

* * *

Laura nous a été référée directement de l'hôpital psychiatrique où elle était restée pendant deux semaines. Une psychothérapie avait été recommandée.

Ce n'est pas la première fois que Laura est hospitalisée; elle l'avait été, un an auparavant, dans un autre hôpital psychiatrique et pour des raisons similaires; son cas exigera d'ailleurs une troisième hospitalisation au cours de sa psychothérapie, hospitalisation brève d'une dizaine de jours. Nous acceptons d'entreprendre une psychothérapie avec Laura quoique nous doutions fort du résultat puisque les mécanismes de la pensée hystérique ont atteint un haut niveau de morbidité et, par conséquent, sont profondément ancrés dans l'esprit de cette femme. La thérapie ne durera d'ailleurs que six mois, Laura ne se présentant plus à ses rendez-vous. L'interruption coïncidera avec mon offre d'une thérapie de couple pour Laura et son mari, offre faite à la suite des plaintes des deux époux. Laura accusait son mari de ne pas essayer de la comprendre et d'être sans pitié pour elle; je recevais aussi de multiples appels du mari ou je le voyais survenir inopinément accompagné de sa femme parce qu'il ne "savait plus quoi faire", "n'en pouvait plus" et qu'il "en avait ras le bol" des plaintes qu'elle lui faisait à longueur de journée et des exigences qu'elle formulait à tout propos. Il devenait alors plus simple et plus efficace de recevoir les époux ensemble et régulièrement.

D'après le dossier que nous recevons de l'hôpital au moment de son admission, Laura présente les symptômes et les caractéristiques classiques de toute patiente hystérique chez laquelle, au cours des années, l'angoisse en tant que phénomène psychologique s'est calcifiée dans un ensemble de composantes physiques. Laura a mal partout: "aux os", aux articulations, à la tête, à l'estomac, au ventre, aux jambes; le "coeur lui cogne"; "le respir[8]" lui manque; elle se met à trembler de partout sans savoir pourquoi et en même temps son corps prend la rigidité d'une statue. Elle a des nausées, des étouffements, des étourdissements, des vertiges, des "souffles au coeur", des crampes abdominales. Elle présente aussi de multiples peurs: peur de tomber, peur d'étouffer, peur de perdre connaissance, peur de rester toute seule, peur de mourir, peur des animaux, peur des gens. Elle ne peut plus rien faire ni à la maison ni à l'extérieur; elle est comme paralysée et si elle sort, ce n'est qu'accompagnée de son mari, la seule personne en qui elle ait encore quelque confiance. Elle ne peut pas non plus rester seule à la maison: sa soeur ou sa mère prennent la relève du mari durant la journée et viennent lui tenir compagnie en son absence. Le malaise toujours grandissant, toujours plus dramatique au fil des semaines et des mois, dure depuis un an: ses débuts coïncident avec la mort du père de Laura, survenue quelques semaines après la naissance de son premier enfant, un fils. Laura demeure confinée à la maison et garde le lit, se trouvant dans un état de grande

---

8. "respir": expression québécoise pour respiration.

faiblesse. Elle ne mange plus, ne veut plus "rien savoir de rien"; son enfant la fatigue et elle ne répond plus aux avances de son mari car "ça me fait mal quand j'ai du sexe".

En l'espace de quelques jours après son admission à l'hôpital psychiatrique, Laura récupère d'une façon miraculeuse et surprenante. Elle dort bien, l'appétit lui est revenu; bavarde et gaie, elle est à nouveau très sociable; ses mille et un maux physiques ont disparu comme par enchantement de même que les soi-disant phobies. Elle est capable de sortir seule dans la rue, peut faire ses achats et conduire sa voiture durant ses congés de fin de semaine. Redevenue très coquette, elle se maquille, a repris ses rendez-vous chez le coiffeur, porte à nouveau dentelles et volants.

C'est dans cette condition "rétablie" que nous recevons Laura pour une psychothérapie, quinze jours après son congé définitif de l'hôpital. Hélas, la situation n'est déjà plus aussi brillante deux semaines après son retour à la maison, même si Laura poursuit la psychopharmacothérapie commencée à l'hôpital[9].

Laura se présente à nous avec les mêmes problèmes que lors de son admission à l'hôpital. Elle somatise toujours autant; ce sont les mêmes symptômes d'étouffement, de "coeur qui cogne", de tremblements, etc. Elle éprouve les mêmes peurs, aussi variées et aussi diffuses; on remarque la même lassitude vis-à-vis de l'enfant et du mari, les mêmes plaintes et les mêmes exigences sont verbalisées; le sommeil et l'appétit ont disparu. Elle en arrive à ne plus pouvoir manger à cause d'une "boule dans la gorge"[10].

---

9. Pharmacothérapie donnée de façon usuelle par les médecins pour état d'angoisse sévère: combinaison d'un tranquillisant mineur avec un hypnotique. Nous en connaissons les dangers: accoutumance, et les limites: problèmes non résolus.
10. Boule oesophagienne, une des caractéristiques courantes dans les états d'angoisse profonde.

Dès la première entrevue, nous avons à faire face à une difficulté majeure, que toute femme-thérapeute rencontre chaque fois qu'une consultante se présente à elle sous des traits hystériques. (En effet, ce type de femme cultive sa féminité à outrance et est très consciente de son pouvoir de séduction) Elle reste imprégnée jusqu'au plus profond d'elle-même par les stéréotypes et les préjugés traditionnels — l'homme fort, puissant, plus intelligent et plus compréhensif que son homologue féminin, mais surtout perçu comme plus facile à berner et donc plus naïf. Elle perçoit donc l'autre femme comme une ennemie, surtout si elle la trouve plus belle et plus intelligente. Toute patiente hystérique préférera donc un thérapeute masculin avec l'idée que ce dernier pourra être manipulé plus aisément. Si elle réussit dans son rôle de séductrice, de femme faible et malade auprès de cet homme, les mécanismes de pensée hystérique seront bien sûr renforcés. Quant à la situation de thérapie avec une femme-thérapeute, elle est pénible à assumer étant donné le transfert négatif qu'opère la consultante sur la thérapeute. La consultante fait non seulement preuve d'hostilité, mais elle exige en même temps d'être guérie sur-le-champ. Elle est très impatiente et s'irrite facilement contre la thérapeute, l'accusant sinon d'un manque de compétence tout au moins d'être incapable de la libérer de ses maux physiques et de ses angoisses.

Laura aurait donc préféré un homme comme thérapeute, mais aucun n'étant disponible, elle doit me voir. Durant les premières entrevues, nous la laissons verbaliser: de façon à mieux la connaître, mais surtout pour la rassurer et pour qu'elle puisse s'habituer à nous et aux entretiens. Nous lui demandons simplement au début d'essayer de venir aux rendez-vous hebodmadaires, mais Laura téléphone presque chaque jour pour se plaindre de ses maux et de ses peurs et, à plusieurs reprises, se trouvant en pleine panique, elle demande à être vue immédiatement. De façon générale, lorsqu'elle sent la panique venir, elle arrive à la clinique en compagnie de son mari, après avoir convaincu ce dernier de laisser son travail et de l'accompagner.

Après quelques semaines, nous essayons de montrer à Laura qu'il ne lui sert à rien de se laisser aller au gré de ses paniques car au lieu d'améliorer son état, elle se rend encore plus malade. Nous lui conseillons alors de pratiquer les exercices de relaxation qu'elle a appris quand elle sent la peur l'envahir. Ces exercices lui permettront de devenir plus détendue, moins nerveuse, plus calme. Nous lui faisons aussi remarquer que le fait de s'affoler au moindre mal ne fait qu'augmenter sa panique et accentuer l'acuité de ses maux physiques. D'autre part, nous lui suggérons d'arrêter les nombreux appels téléphoniques qu'elle fait à son mari: elle a l'habitude de l'appeler une dizaine de fois dans la journée, ce qui irrite son mari et commence à lui créer des ennuis dans son travail puisqu'il lui faut interrompre ses activités professionnelles pour venir à la rescousse de son épouse. Nous suggérons au mari de faire lui-même quelques appels à son épouse pour la rassurer. Nous lui recommandons aussi d'éviter de quitter son lieu de travail chaque fois que sa femme panique, cette dernière s'habituant très vite à ce que son mari accoure et réponde à ses moindres exigences, ce qui a pour but de créer un cercle vicieux mais affolant!

Le lendemain de l'entrevue conjointe au cours de laquelle nous avons donné quelques suggestions au sujet des appels téléphoniques, nous apprenons que Laura vient de se présenter à l'urgence de l'hôpital psychiatrique pour être hospitalisée. Le médecin de garde la rassure et elle rentre chez elle.

Nos entrevues consisteront principalement en support et en conseils car les limites intellectuelles de Laura ne nous permettent pas de lui faire analyser et saisir la dynamique psycho-rationnelle [11] de ses pensées et de ses actes morbides.

---

11. Dynamique psycho-rationnelle: nous nous référons aux mécanismes psychologiques de formation et de structuration des idées qui habitent tout être humain, consciemment ou inconsciemment, à partir des

Laura passe par des phases de mieux-être et par des phases de dépression. Une semaine elle venait toute joyeuse, sans angoisse, sans douleur et toute seule. Elle était alors capable de suivre les conseils donnés: par exemple, elle s'exerçait à faire de la relaxation, surtout les exercices respiratoires qui, disait-elle, la détendaient; elle parvenait alors, durant ces journées fastes, à un certain contrôle de ses paniques et pouvait vaquer tranquillement et sans histoire à ses occupations ordinaires d'épouse et de mère. À d'autres moments, elle arrivait à ses rendez-vous accompagnée de son mari et nous avions alors le tableau clinique habituel. Dans ces moments-là, il fallait user d'une grande patience et de toute la force de persuasion possible pour la calmer et lui faire saisir la situation dans laquelle elle se plaçait elle-même — états de panique décuplés parce qu'elle dépensait toute son énergie mentale dans la dissection de ses perceptions internes, brûlures, tremblements, douleurs, etc., lesquelles ne reposaient sur aucune base organique substanciée.

Nous avons essayé de lui faire saisir tout ce qu'il y avait de positif dans sa vie: un mari aux petits soins, un bébé, une stabilité financière, une famille parentale très unie. La raison l'emportait un temps mais les problèmes de base revenaient toujours. Laura n'avait pas d'intérêt pour la sexualité: elle n'arrivait pas à se percevoir comme une bonne épouse et elle avait peur de perdre son mari, chose fort possible car l'époux commençait à être très las des demandes infantiles de sa femme. Cependant, après le troisième mois de thérapie de support, nous avons tenté une approche un peu plus en profondeur; Laura semblait quelquefois saisir la nature de ses états d'angoisse: manque de confiance, insécurité, peur

---

influences culturelles qu'il reçoit, de la façon dont il a été élevé et des milieux sociaux qu'il côtoie au cours de sa vie. De façon habituelle, dès que nous analysons nos actes et que nous comprenons leurs motifs et mobiles, nous devenons plus aptes à modifier ceux de nos comportements qui sont nuisibles à notre équilibre intérieur.

de l'avenir, sentiment d'abandon par le père mort soudainement, naissance d'un bébé, attachement désespéré à la figure masculine.

Mais, ironie du sort, au moment où je pars pour un mois, Laura apprend qu'elle est à nouveau enceinte. En l'espace de quelques jours, elle voit trois médecins, fait une fausse-couche et demande à être hospitalisée, chose qui lui est accordée. Après deux ou trois jours à l'hôpital, Laura est à nouveau normale. Dix jours plus tard, elle rentre chez elle. À mon retour de congé, nous reprenons les entrevues pendant un mois. Laura oscille entre des périodes de mieux-être et des périodes de malaise. Elle exige de nouveaux médicaments car, bien entendu, son organisme s'est progressivement habitué à l'hypnotique et à l'anxiolytique qu'elle a pris pendant des mois et des années, et ceux-ci ne font plus guère effet. Le médecin qui la suit pour l'administration des médicaments lui suggère alors de poursuivre en psychothérapie uniquement, le maximum ayant été accompli avec les médicaments. Au cours d'une entrevue qui se révélera être l'entrevue finale, Laura, peut-être très en colère de ne pas recevoir les médicaments exigés alors que le médecin s'offre finalement à lui en prescrire d'autres, affirme la nature organique de ses maux et annonce qu'elle va consulter ailleurs. Le mari assiste à l'entrevue, découragé. Il nous confie le manque de motivation et l'incapacité de Laura à suivre nos recommandations; il mentionne qu'elle "en fait à sa tête". Nous proposons simplement de continuer une thérapie de couple afin de rendre la situation moins tendue et moins dramatique pour chacun des deux époux: d'une part, pour le mari qui ne sait plus à "quel saint se vouer" — il commence d'ailleurs à parler d'une séparation — et d'autre part, pour Laura qui est devenue très exigeante avec son mari depuis qu'elle a pris l'habitude de lui faire des demandes inconsidérées. Laura ne reviendra jamais en consultation.

L'exemple de Laura est l'illustration concrète et presque littérale de ce que j'ai retenu des causes de l'hystérie en tant que maladie psycho-culturelle décrite dans un autre livre.

* * *

Dixième cas: femme mariée de trente-deux ans, agoraphobe et claustrophobe.

* * *

Irène vient en consultation car elle a peur de tout. Elle se sent comme paralysée; elle ne peut plus rien faire ni chez elle ni dehors et elle est constamment obsédée par de terribles pensées comme celle de se faire du mal ou de faire du mal aux autres, en particulier à sa famille. Si l'on fait la somme de ses peurs, elles se résument à la peur de perdre ses enfants, celle de ne pas être la personne qu'elle aurait voulu être et enfin celle de s'apercevoir qu'elle n'a pas le mari rêvé. Irène traverse une période de grande remise en question de toute sa vie. Hélas, intuitivement, elle en connaît le bilan et cela la rend déprimée. Tout devient confus; tout l'angoisse, tout l'obsède. Ses peurs deviennent si nombreuses qu'il lui semble impossible de les énumérer toutes. Irène "n'en peut plus" et demande qu'on l'aide. Le Librium prescrit par son omnipraticien ne fait plus effet. Elle veut maintenant savoir pourquoi elle est "malade comme ça" et comment se "débarasser de ses phobies".

Nous prenons Irène en psychothérapie. Cette thérapie sera longue et s'échelonnera sur trois années au bout desquelles, sur nos recommandations, une thérapie conjugale systématique sera entreprise avec un autre thérapeute. À partir de ce moment-là, nous n'aurons plus de nouvelles d'Irène, sinon par écrit. Le but originel de cette psychothérapie: disparition définitive de l'agoraphobie et de la claustrophobie, ne sera pas atteint dans sa totalité. Irène passera par des périodes de mieux-être, elle pourra même se sentir bien au point de retourner travailler à l'extérieur, de prendre le métro, de suivre des cours, de sortir avec des amies seule sans son mari, mais elle rechutera par moments dans l'inertie et la dépendance. Par contre, les gains permanents de la psychothérapie se manifesteront dans plusieurs domaines: disparition des idées obsessives de mort ou de maladie, reconnaissance pleinement acceptée de l'intégrité de sa logique et donc, pas de folie à appréhender, possibilité de se déplacer seule à nouveau dans un certain rayon et de maintenir des relations d'amitié avec son entourage. Quant à la compréhension de ses états d'âme et des raisons pour lesquelles elle est devenue phobique, ces deux buts furent atteints au delà de tout espoir. Le travail qui reste à accomplir, c'est-à-dire établir un certain niveau d'équilibre dans la relation entre Irène et son mari, sera entrepris sur une base régulière et pendant deux ans par une autre thérapeute[12].

Cette seconde phase de la thérapie nous paraissait nécessaire. Irène avait pris conscience du rôle que son mari avait joué auprès d'elle durant toutes ces années de mariage puisqu'il avait lui-même et sans le savoir contribué à l'épanouissement de ses phobies. Comme elle était en colère et pleine de ressentiment à l'endroit de son pauvre époux, des entrevues de couple avaient été alors organisées, pendant la dernière année de thérapie individuelle, pour permettre au mari de venir s'exprimer et à Irène de modérer ses plaintes. Mais une approche systématique du couple devenait nécessaire afin d'améliorer plus rapidement la relation entre les époux et

12. Étant donné que nous avons suivi Irène pendant des années en thérapie individuelle, nous ne pouvions entreprendre une thérapie conjugale systématique: le mari se serait senti isolé et sans soutien puisqu'il présupposait une ''alliance'' entre sa femme et moi. L'intervention d'une tierce personne, sans implication antérieure dans ce cas, était de beaucoup préférable pour redresser la dynamique relationnelle entre les époux.

de rendre le climat familial moins électrique. Très souvent, et je tiens à le souligner, lorsque l'un des conjoints — que ce soit la femme ou l'homme — entre dans un processus d'introspection, l'autre conjoint se sent immanquablement lésé, laissé pour compte et il ne comprend pas les changements que vit son alter ego. Le conjoint peut atteindre un tel niveau de frustration qu'il essaiera de saboter la thérapie en menaçant de partir ou de faire du mal à l'autre conjoint ou à la personne-thérapeute. Dans le cas ci-dessus, l'époux avait annoncé à sa femme que si elle l'abandonnait à cause de la thérapie, il me tuerait car, avec "ma" thérapie[13], je serais responsable de la séparation. Or, il advint que les époux non seulement ne se séparèrent pas mais au contraire se rapprochèrent. L'épouse, qui au début de la thérapie était parfois très acerbe et très castratrice vis-à-vis de son mari, découvrit avec le temps l'importance que celui-ci avait pris dans son coeur et dans sa vie. Elle finit par l'assurer de son amour et de son affection.

Durant trois années de psychothérapie individuelle — à raison d'une fois par semaine — Irène apprit à mieux se connaître et à s'interroger sur les mobiles de ses pensées et de ses actes. Elle trouva des explications aux événements qu'elle avait autrefois vécus sans y porter attention et aux sentiments contradictoires qui la torturaient sans cesse: son mariage à dix-sept ans avec le chef d'une bande locale de "durs"; après la naissance des deux enfants, un début de carrière en flèche qui la mena rapidement à un poste de responsabilité et un salaire équivalent à celui de son mari; sa "dépression", comme elle l'appelait, au moment où l'aîné de ses fils fut frappé par une voiture et les sentiments de culpabilité qu'elle ressentit; la jalousie du mari parce qu'elle était plus intelligente que lui et réussissait mieux professionnellement;

---

13. Le "ma", ici, est en réalité celui de sa femme, mais le mari était incapable de faire face à "sa" réalité, celle d'une épouse qui ne pouvait pas souffrir son mari à l'époque.

l'incapacité sexuelle de celui-ci sous la forme d'éjaculation précoce; le ressentiment, l'amertume qu'elle en éprouvait ainsi que le violent besoin de le rabaisser parce qu'il n'était pas l'homme fort et intelligent qu'elle avait cru épouser. Tout tournait dans sa tête au moment où elle est venue nous consulter et elle avait peur de devenir "folle", comme sa mère qui avait dû être hospitalisée autrefois.

Elle ne savait plus ce qu'elle devait faire. Elle se sentait prise entre ses rôles d'épouse et de mère — épouse déçue et pleine d'amertume, mère dévouée mais culpabilisée — et son désir authentique de reprendre une carrière qui s'annonçait fulgurante et remplie de promesses mais qu'elle avait cru bon d'abandonner. L'ombre du mari planait sur tout ce qu'elle faisait. En effet, tentant de préserver son image chancelante de mâle et de chef de famille, l'époux veillait à rester le seul maître à bord, l'unique personne de qui la famille devait dépendre: sa seule force était celle de rapporter de l'argent à la maison; il ne pouvait donc pas voir son épouse en rapporter elle-aussi, la compétition aurait été trop grande. Il avait bien su faire porter la responsabilité de l'accident du fils aîné sur le fait que sa femme était absente du foyer; cette coïncidence avait été l'occasion rêvée pour condamner les velléités d'autonomie de sa femme et la reconvertir à ses fourneaux, toute repentante et toute coupable sous l'accusation que l'on devine bien: "si tu avais été à la maison, ça ne serait pas arrivé"! Irène ne savait plus que penser; elle était obsédée par une multitude d'idées, toutes plus contradictoires et plus confuses les unes que les autres.

Au cours de la thérapie, elle réalisa qu'elle s'était mariée afin d'échapper à une situation familiale perturbée, avec une mère bizarre et un père alcoolique. Comme époux, elle avait choisi un chef de bande par besoin de protection. Elle se représentait son ami comme fort et valeureux; il ferait en même temps office de père. Le romantisme et l'instinct de survie l'emportaient. Hélas, avec les années, l'image mentale qu'elle s'était faite du mari-champion se craquelait et lorsqu'elle s'aperçut qu'elle était plus intelligente, plus forte mentalement, plus ambitieuse et qu'elle réussissait mieux que lui, ce fut la panique, la désillusion et les scènes de ménage. Elle se mit à reprocher à son mari son impuissance sexuelle, son incompétence professionnelle ainsi que son manque d'ambition. Le mari, frappé dans sa virilité et sa fierté, la rendit coupable de penser à elle plus qu'à ses enfants, à sa carrière plus qu'à leur bien-être; l'accident de l'aîné des enfants en était la meilleure preuve! Irène commença par se sentir très angoissée au bureau. Elle passait le plus clair de son temps à se tourmenter au sujet de ses enfants; elle avait peur qu'ils trouvent une mort horrible en son absence. Ces pensées obsédantes interféraient bien entendu avec les responsabilités qu'elle devait assumer au travail et sa concentration dans l'effort était diminuée. Elle finit par ne plus pouvoir dormir. Elle arrivait exténuée au bureau. Elle se mit à développer par la même occasion toutes sortes de frayeurs comme celle de conduire sa voiture, de répondre au téléphone, de faire face à ses collègues de bureau et de perdre son contrôle devant elles.

La situation devint telle que n'en pouvant plus, Irène se vit obligée de mettre fin à son emploi et à sa carrière. Elle retourna donc à la maison pour de bon. Mais au lieu de s'améliorer, la situation s'aggrava. Au lieu d'avoir moins peur et de se sentir moins en conflit avec elle-même, Irène développa de nouvelles peurs: peur de sortir dehors pour aller au magasin d'alimentation au coin de la rue, peur de croiser des voisines dans la rue et d'être obligée de leur parler, peur de rencontrer des animaux sur son chemin, surtout des chiens. Et tandis qu'elle se calfeutrait chez elle de plus en plus, Irène commença à avoir peur d'elle-même et de ce qu'elle faisait, de ces menus gestes que l'on accomplit dans la vie quotidienne: par exemple, elle avait peur de l'image que lui renvoyait son miroir quand elle se regardait dans la glace; elle avait peur de prendre son bain toute seule parce qu'elle croyait vouloir se noyer; elle avait peur d'utiliser des couteaux lorsqu'elle faisait la cuisine car elle pensait vouloir se blesser. Irène se renferma donc non seulement chez elle, mais en elle-même. Plus elle se repliait sur ses pensées — toujours les mêmes qui revenaient mais encore plus intenses et plus obsédantes dans leur morbidité — plus elle perdait pied. Irène ne dormait plus, ne mangeait plus: elle n'arrivait plus à vivre dans sa prison, celle qu'elle s'était fabriquée à partir de ses phantasmes.

La thérapie fut longue et difficile. Le caractère morbide de la pensée ne se résorba que lentement au cours de trois années de réflexion. Entre temps, Irène sut renouer avec ses activités sociales sans éprouver de trop fortes angoisses; elle put même aller suivre des cours et retourner sur le marché du travail. Les grandes peurs et les phobies généralisées, la peur du métro, celle de marcher seule dans la rue, de conduire sa voiture, de devenir folle, de rester à la maison, de répondre au téléphone, de vouloir se tuer, de perdre ses enfants — toutes ces idées disparurent. Irène fonctionnait quasi normalement. Elle était parvenue à contrôler ses pensées et à ne plus se sentir coupable, même si son mari continuait à la culpabiliser à tout propos et allait jusqu'à la ridiculiser en public, en faisant semblant de l'ignorer devant ses amis et sa famille. La colère et quelquefois la rage qu'elle éprouvait contre lui allaient en s'exacerbant. C'est alors que nous avons suggéré des entrevues de couple pour tenter d'amener l'époux à prendre conscience de ses conduites infantiles, et à sensibiliser Irène au fait qu'elle jouait le jeu en se mettant "hors d'elle". En "perdant pied" et en prenant le rôle de la "folle", elle donnait à son mari l'occasion de gagner dans ce qu'il recherchait inconsciemment. La thérapie de couple fut acceptée par les deux époux.

Cette thérapie dura deux années au bout desquelles le thérapeute estima que tous deux "étaient capables dorénavant de résoudre leurs difficultés eux-mêmes", c'est-à-dire sans arbitre — le bureau du thérapeute ayant servi à l'occasion de champ de bataille.

Le cas d'Irène représente à nouveau un exemple caractéristique d'une femme mariée devenue phobique à la suite de conflits dans les rapports de force entre les époux. L'épouse demeure très ambivalente dans ses émotions et son rôle, oscillant entre les pôles de l'agressivité, de la domination, du repli sur soi et de la soumission, entre rester à la maison ou poursuivre une carrière, pour choisir en dernier ressort le retrait dans la maladie, dans ce cas: l'agoraphobie-claustrophobie.

Désir et peur de rester chez elle, désir et peur de sortir dehors. C'était le dilemme d'Irène: rester chez elle, bonne mère et bonne épouse, ou aller à l'extérieur, avoir une carrière et se sentir responsable d'elle-même. C'est une réussite sociale dans chacun des deux cas, mais pas dans l'esprit d'Irène incapable de choisir entre l'un ou l'autre pôle ou mieux, de combiner les deux de manière réaliste. Elle refusa alors tous ses attributs sociaux en bloc et se refugia dans une fuite morbide: la phobie sous toutes ses formes.

Est-ce qu'Irène serait devenue phobique il y a de cela cinquante ans? Nous en doutons, car la question du choix des rôles, du conflit entre travailler à l'extérieur et rester bonne mère-bonne épouse ne se serait pas posée. Ni l'angoisse ni la confusion ne seraient donc apparues comme il est d'usage lorsque l'on se trouve à la recherche d'une solution équitable. Il n'y aurait pas eu non plus de problèmes dans la relation du couple, le mari n'ayant à se sentir menacé ni dans sa virilité ni dans ses responsabilités de chef de famille et Irène n'ayant pas à se sentir coupable d'aspirer à une carrière.

Est-ce qu'Irène aurait succombé aux phobies dans le contexte actuel si elle avait été sûre de ce qu'elle faisait et mentalement forte? Je ne le pense pas non plus. Elle aurait su combiner ses différents rôles de mère et d'épouse et de femme de profession sans se sentir coupable. N'ayant pas peur de ses propres qualités, intelligence et volonté, elle serait parvenue à tout mener de front, mais le mari ne serait peut-être pas resté avec une femme dont les compétences dépassaient les siennes!

* * *

Onzième cas: femme de vingt-six ans, anorexique depuis l'âge de dix-neuf ans.

* * *

Nous avons rencontré Catherine pour la première fois alors qu'elle était hospitalisée suite à une menace de suicide. Elle se sentait bien sûr très déprimée: d'une part, son mari l'avait abandonnée après sept ans de mariage et d'autre part, elle commençait à réaliser le vide de sa vie après avoir commencé une psychothérapie en profondeur deux mois avant son entrée à l'hôpital. Catherine se sentait très faible et asthénique, ce qui n'était pas surprenant étant donné ses obsessions: l'une reliée à son poids, l'autre à un ventre rond à éviter à tout prix. En effet, Catherine s'était imposé une limite magique de grosseur, cinquante kilos, qu'elle ne voulait pas dépasser alors qu'elle mesurait un mètre soicante-quinze. Elle avait, pour tout dire, une allure décharnée.

Pendant l'hospitalisation qui dura un mois, je poursuivis le processus psychothérapeutique qui avait été initié par un autre thérapeute [14].

Catherine représentait un cas type d'anorexie mentale: elle en avait l'histoire, la structure de personnalité, les idées phantasmatiques et les douloureuses expériences.

---

14. Ce dernier, avec lequel j'avais communiqué, ne voulait plus s'occuper de Catherine. Une fois qu'elle serait sortie de l'hôpital, l'équipe traitante de l'hôpital dont je faisais partie et moi-même avions décidé, d'un commun accord, que je continuerais le travail de réflexion esquissé avant l'hospitalisation.

Catherine était très grande; elle paraissait encore plus élancée à cause de sa maigeur cadavérique. Elle était jolie de visage et très bien soignée de sa personne. Même dans le contexte de l'hôpital psychiatrique et en grande dépression, elle était toujours maquillée, avait les cheveux impeccablement coiffés, les ongles vernis et des toilettes fraîchement repassées. Catherine avait toujours recherché la perfection pour gagner et conserver l'amour, l'affection et la reconnaissance de ses proches. Elle avait été une petite fille modèle, la "meilleure" d'une famille de cinq enfants. Elle n'avait jamais causé de problèmes à ses parents comme l'avaient fait sa soeur et son frère qui étaient des habitués de la drogue. Après une enfance et une adolescence sans histoire et sans remous, elle était devenue secrétaire — la secrétaire parfaite: tout le monde l'aimait et la complimentait sur son travail accompli avec efficacité et précision et sa tenue impeccable. Mais au moment où nous l'avons rencontrée, Catherine se préparait à changer d'emploi et à devenir mannequin, c'est-à-dire l'image incarnée de la perfection physique à ses yeux, le MODÈLE que toute femme devrait suivre. Elle se maria un an après avoir commencé à travailler à l'extérieur. Après quelques mois d'un mariage parfait, elle décida d'interrompre toutes relations sexuelles avec son mari. Six ans plus tard, celui-ci partait avec une autre femme. Catherine restait seule, dans un appartement meublé de façon exquise et très élégante, avec ses obsessions et ses pensées. C'est alors que, se sentant de plus en plus emprisonnée dans la réalité d'une condition qu'elle s'était imposée, et consciente d'en être la seule responsable, Catherine opta pour une psychotérapie. Deux mois plus tard, elle entrait à l'hôpital.

Ainsi que nous venons de le dire, Catherine était très consciente de ses agissements. Elle parlait de ses longues souffrances et des tortures qu'elle continuait de s'infliger volontairement, en se privant de nourriture et gardant un contrôle infaillible et draconien sur toutes ses conduites: elle avait toujours voulu devenir ce qu'elle croyait incarner, la perfection. Ses conduites obsessives les plus sévères, privation de nourriture et d'activité sexuelle, apparurent quelques mois après son mariage, à l'âge de dix-neuf ans. Elle avait décidé de ne plus manger car elle ne voulait pas se voir avec un ventre rond, l'équivalent d'être enceinte, la chose la plus repoussante pour elle puisqu'elle était le signe indubitable de relations sexuelles. Elle avait donc demandé à son mari de ne plus l'approcher, d'une part par peur d'être enceinte et d'avoir un gros corps déformé, ce qui aurait détruit son harmonie physique, mais aussi parce que le mariage impliquait l'idée de ne plus être libre de son corps et d'être obligée d'avoir des relations sexuelles régulièrement, ce qu'elle ne pouvait souffrir. Elle trouvait la sexualité répugnante.

Catherine restera en thérapie quatre mois au bout desquels elle décidera de partir dans un lieu isolé, une communauté professant des idées religieuses connues pour leur sectarisme.

Catherine reconnaissait avoir vécu dans un monde de rêve pendant huit ans mais elle se sentait prisonnière de son rêve. Elle choisit de le vivre à un autre niveau, celui auquel elle aspirait tant, celui de la Vierge et de l'Ange, images du parfait. Elle ne serait plus alors la petite fille modèle, la secrétaire parfaite ou le mannequin de rêve. En se retirant du monde et se réfugiant dans une communauté religieuse, elle transcendait tous ses rôles antérieurs, ce dont la communauté religieuse lui offrait amplement l'occasion.

Dès que Catherine eut pris sa décision de partir, sentiments de dépression, idées formulées de suicide et de vide intérieur se résorbèrent. Ses impressions de ne pas être bonne, d'être imparfaite dans sa perfection avaient elles aussi disparu. Catherine avait découvert sa vraie voie; elle avait enfin trouvé un but à la dimension de ses aspirations de beauté, de bonté et de pureté, loin des contingences matérielles, loin de la sexualité, loin des joies primaires dispensées par la nourriture. Catherine avait pris rendez-vous avec la perfection. Elle ne voulait plus consciemment se suicider bien sûr, mais elle continuait un lent suicide intérieur en ne mangeant pas ou très peu, en continuant à prendre des laxatifs et en se faisant vomir quand elle pensait avoir trop mangé. Une fois le départ de Catherine pour la communauté organisé, nous n'entendîmes plus parler d'elle.

Deuxième partie

Les méthodes palliatives

Comme nous l'avons mentionné dans l'introduction, différentes voies pour atteindre un mieux-être sont à considérer selon la compréhension que la femme a de ses difficultés, selon sa force de caractère et aussi l'état dans lequel se trouve son système nerveux. On les regroupe suivant trois modèles: l'approche par les groupes — différents styles de groupes étant proches, consultation individuelle et groupes.
consultation étant offerts ou une combinaison des deux approches, consultation individuelle et groupe.

Que ce soit dans le cadre d'un centre de santé mentale ou dans celui d'un centre local pour femmes, que ce soit au cours d'une consultation avec une personne-thérapeute ou au cours d'une rencontre avec d'autres femmes, la consultante se déplace dans un but précis: celui de recevoir des informations et d'apprendre de nouvelles formules en vue d'améliorer ses conditions d'existence personnelle et sociale. Elle va au centre, centre de femmes ou centre de santé mentale, dans l'intention de recevoir une aide qui, de façon générale, lui permettra de mieux se comprendre comme femme-personne, être humain et être social, et de mieux se diriger dans la vie tout en obtenant de plus grandes satisfactions à partir de ce qu'elle est et de ce qu'elle possède.

La clinique de santé mentale

Les thérapies orthodoxes ou méthodes palliatives

Lorsque la femme se sent malade, c'est-à-dire lorsqu'elle souffre, qu'elle "n'en peut plus" de ses crises d'angoisse et de sa dépression, elle se présentera à la clinique de santé mentale en demandant à voir "quelqu'un à qui parler". Parfois sa requête se fait plus spécifique et elle demande les services soit d'une personne-psychologue parce qu'elle "veut comprendre ce qui se passe", "se sortir de sa dépression" ou "combattre son angoisse", soit ceux d'un médecin parce qu'elle "veut tout oublier" et "recevoir des pilules pour guérir" — deux attitudes bien différentes dans l'approche des problèmes de vie mais qui reflètent une triste réalité et prévalant toujours dans nos cliniques, nous verrons plus loin pourquoi.

Lorsque la dépression est profonde, l'angoisse intense, alors que l'organisme et le système nerveux ont atteint un niveau de déséquilibre total, il faudra le plus souvent avoir recours à une pharmacothérapie adjuvante. Avant d'en arriver à ces cas extrêmes où le médicament paraît nécessaire afin de pallier à des états insupportables — cas très courants il y a encore quelques années — la femme peut maintenant, grâce à la progression de nos connaissances dans le domaine de la psychologie, bénéficier de ce que l'on appelle des services "préventifs" et non plus uniquement "curatifs". Ces services n'ont hélas de curatif que le nom dans la majorité des cas; nous appellerons les services désignés plus haut comme "préventifs" et "curatifs" des services *palliatifs*. Pourquoi? Et d'abord qu'entendons-nous par services palliatif, préventif ou curatif dans le domaine de la santé mentale?

Un service palliatif est un service qui permet à la personne de se sentir moins malade, donc dans notre cas moins déprimée, moins angoissée, avec moins de problèmes personnels; c'est ce qui se passe, dans la pratique courante, avec toutes les formes de traitements offertes en santé mentale.

On parle de plus en plus de services préventifs en santé mentale. Qu'est-ce que cela implique? Dans quelle mesure pouvons-nous prévenir des problèmes qui puisent leurs racines non seulement dans toute une histoire culturelle mais aussi dans une histoire personnelle qui a commencé à se structurer durant l'enfance — nous faisons allusion ici aux cas de phobies, de réactions hystériques et d'anorexie? Dans quelle mesure pouvons-nous prévenir les angoisses de la vie et les chutes dans la dépression? A priori, la tâche est gigantesque et au delà de l'humain — presque impossible!

Le travail accompli s'exprime plus justement comme un colmatage auprès d'une population adulte chez laquelle n'existe véritablement ni prévention ni cure dans la plupart des cas. La prévention ne peut se faire qu'auprès des jeunes, en leur enseignant de nouveaux modes de pensées et d'action; pour les autres, les adultes, même s'il y a éveil, prise de conscience et tentative pour évoluer et se modifier, les dangers de retour aux vieux modèles de comportements ne peuvent être ignorés. Quant à nos angoisses de vie et à nos moments de dépression, nous n'avons pas d'autres choix que de les subir, de nous y préparer mentalement ou de les recevoir sans trop fléchir; d'ailleurs, c'est plutôt dans ces deux cas que les méthodes dites de prévention, sous forme d'enseignement à la population, peuvent prendre toute leur ampleur et faire preuve d'une certaine efficacité.

Quant aux méthodes dites curatives, telles la psycho-pharmacothérapie, c'est-à-dire l'emploi de médicaments agissant sur le système nerveux central, nous devons dire que cette forme de traitement aide la personne à traverser les crises. Elle atténue l'angoisse et la tristesse mais ne résoud pas bien sûr les problèmes qui ont provoqué l'éclosion de l'angoisse et l'effondrement dans la dépression: on ne peut donc pas parler de cure dans ce cas, l'angoisse et la dépression réapparaissant dès que le médicament est supprimé.

Le travail de "cure" psychologique proprement dite est, dans une approche de traitement intégral, accompli à travers ce que l'on appelle la psychothérapie, méthode que nous allons exposer. Mais même alors, nous ne pouvons atteindre le plein succès pour toutes les consultantes car, selon la malléabilité et l'ouverture de la pensée, le degré de volonté pour résoudre ses problèmes et l'intensité des dommages causés auparavant sur la personne, cette dernière pourra ou non réussir sa thérapie.

Donc, prévention et cure en santé mentale sont des mots symboliques, à valeur magique et peu réalistes. Il est plus exact de parler de méthodes palliatives dans l'immense majorité des cas.

Ce sont là quelques remarques d'introduction assez pessimistes mais réalistes. Gardons en tête qu'il n'existe pas de cure-miracle aux maux de l'existence — que l'on prenne la pilule du "bonheur" ou que l'on consulte la thérapeute la plus brillante du monde. Pourtant nous voulons être délivrées de nos angoisses et ne plus être déprimées afin de vivre mieux. C'est pour satisfaire cette recherche d'un mieux-être physique et mental, que plusieurs modalités de thérapie sont offertes au public, en particulier à ce sexe qui a tant souffert; les femmes.

I. La thérapie individuelle

a) Actes thérapeutiques proposés dans les cas de dépression

Prenons tout d'abord le cas le plus courant, celui de la femme déprimée.

Dans la dépression, les buts sont doubles: redonner espoir et redonner un sens à la vie. La dépression s'exprime au niveau psychologique par la perte de l'espoir et l'absence d'intérêt pour le monde, tandis qu'au niveau physiologique elle se révèle par une baisse de toutes les fonctions de la vie de relation.

Nous avons vu dans le second livre sur la psychopathologie de la femme que celle-ci a maintes raisons de se sentir déprimée au cours de sa vie: des raisons communes aux deux sexes mais, en plus, des raisons spécifiques à son sexe. Comment redonner goût à la vie à quelqu'un qui s'avoue vaincu, qui se laisse aller à la neurasthénie, à cette tristesse infinie imprégnant toute l'existence? Comment redonner courage à un être qui ne veut plus rien faire, ne trouve plus rien d'intéressant, n'a plus envie de manger, passe des heures à chercher le sommeil et dont les désirs se sont évanouis, même celui qui, parmi les désirs, est un des plus forts et des plus agréables, le désir sexuel?

À ce stade de dépression sévère, lorsqu'il y a ralentissement psychomoteur général, une pharmacothérapie est recommandée. Au cours des semaines et des mois à venir, les médicaments anti-dépresseurs aideront la consultante à reprendre goût à la vie en lui donnant un regain d'énergie physique et nerveuse. Cela lui permettra donc d'avancer plus vite au niveau de la psychothérapie car, en plus des médicaments, un programme d'activités sera discuté et mis sur pied: à court terme, participation à des groupes et développement de relations amicales avec les gens autour de soi. Ce travail de thérapie que l'on appelle de soutien accompagnera donc la pharmacothérapie.

Au cours des mois qui suivront, on encouragera la personne dépressive à renouer avec le monde, à s'impliquer à nouveau avec les êtres et les choses, à retrouver d'anciens intérêts ou à en développer de nouveaux en découvrant de nouvelles sources de satisfaction: ce sera en fait, comme on l'exprime dans le langage populaire, aider la personne déprimée à se "raccrocher à la vie". Il s'agira donc pour la personne-thérapeute de proposer des activités en motivant la consultante à sortir de sa maison, littéralement, pour faciliter ses contacts sociaux. Une des meilleures formules dans cette entreprise de resocialisation est le groupe.

En général, dans la communauté, divers groupes sont offerts. Leur appellation est différente mais leur but est similaire: groupe de personnes veuves, groupe de l'âge d'or, groupe monoparental, groupe de célibataires, groupe de femmes. Tous ces groupes présentent des avantages similaires:

avantages spécifiques à la situation de groupe et déjà présentés dans un premier livre [1] — rappelons brièvement les facteurs de motivation, de *modelling*, de support inhérents à l'appartenance au groupe; c'est aussi une façon agréable et facile de faire de nouvelles connaissances et de nouveaux amis.

Quant aux activités encouragées, elles sont aussi de nature multiple: les sports, comme l'athlétisme, le *jogging*, la bicyclette, le tennis, etc.; les cours artisanaux, comme la céramique, la menuiserie, le tissage, le batik, etc.; les cours de perfectionnement ou de formation dans un domaine ou un autre, que ce soit les langues, l'informatique, les relations humaines, la musique, etc. La consultante est aussi encouragée à faire des efforts pour rencontrer ses amis et amies, sa famille, son voisinage. De façon aussi libre et naturelle que possible, elle réapprend à inviter les personnes dont la compagnie lui plaît pour une tasse de thé, une promenade, du magasinage par exemple sans se sentir obligée à rester des heures avec ces personnes — une courte visite, un court dialogue peuvent redonner du courage.

Lorsque la dépression est moins sévère, c'est-à-dire quand la personne déprimée ne présente pas de retard psychomoteur flagrant ni de baisse dramatique de ses fonctions mentales, de la concentration et de la mémoire en particulier, ni de baisse des fonctions de la vie de relation — prise de nourriture et énergie sexuelle — une thérapie de soutien avec élaboration d'un programme d'activités sera suffisant pour combler les impressions de vide et de perte; il ne sera pas nécessaire d'entreprendre une pharmacothérapie.

Tout en organisant la thérapie de soutien et en continuant la prise de médicaments dans les cas où cela est nécessaire, un nouveau regard sur la façon de concevoir la vie et sur la connaissance de soi est aussi instauré. En effet, la plupart des personnes dépressives ont en général derrière elles tout un vécu

---

1. Brunet, Dominique, *La femme expliquée*, le Jour, Éditeur, 1982.

sur lequel s'échelonne des événements traumatisants dont le résultat influence leur mode de pensée — un certain fatalisme évoquant la passivité — et leur façon de concevoir le monde — un monde terne et peu stimulant. Il m'est souvent arrivé de noter chez ces personnes une constance dans leurs idées moroses ou dramatiques et un pessimisme certain se soldant, assez souvent, par un manque de motivation, une absence d'énergie et de volonté de s'en sortir tandis qu'au niveau des idées, c'est l'absence du simple désir de vouloir "faire quelque chose" qui prédomine.

Le premier cas de dépression décrit dans le chapitre précédent reflète exactement ce phénomène. Après trois ans d'une réflexion plus ou moins superficielle sur elle-même et son mariage et après avoir vécu une vie faite de passivité, de tristesse et de soumission à un mari exigeant de garder un contrôle total à la maison, Liliane réalisait avoir perdu tout sens d'initiative et s'être "laissée aller", sans force et sans volonté, aux différents moments stressants de la vie. Son mari lui avait montré la voie du non-interventionnisme et de l'acceptation passive des événements. Elle réagissait donc au stress de façon encore plus dramatique et plus sévère qu'une personne habituée à lutter. Liliane sembla d'ailleurs toute surprise lorsqu'elle eut réalisé les raisons pour lesquelles elle répondait aux situations difficiles par la dépression; mais elle fut en même temps toute émerveillée car elle se sentait à nouveau "revivre" comme lorsqu'elle était jeune fille, c'est-à-dire avant son mariage. Elle se découvrit de nouvelles sources d'énergie pour accomplir ce qu'elle voulait, quand elle le voulait; il n'y avait plus personne pour l'empêcher d'aller de l'avant. Elle avait découvert un monde nouveau, des possibilités nouvelles. C'était comme si elle renaissait sous son ancienne forme, celle de la jeunesse. Bien sûr, à ce stade, les médicaments n'étaient plus tellement nécessaires, mais la psychothérapie devait se poursuivre car la colère ressentie à l'égard du mari décédé s'accompagnait des sentiments de culpabilité habituellement éprouvés dans une telle situation.

b) Actes thérapeutiques proposés dans les cas d'angoisse

Tout comme avec la dépression, dans les cas les plus sévères d'angoisse et en phase initiale de crise, seuls les médicaments pourront alléger la souffrance psychologique. Ces médicaments auront aussi pour fonction d'amorcer le processus thérapeutique.

Pour ce qui a trait à l'intervention verbale, étant donné que l'angoisse traduit la peur de ce qui peut arriver et que la consultante phantasme les catastrophes les plus terribles, il s'agira de minimiser les situations provoquant ces débordements de l'imagination.

Comment? En lui apprenant à se rendre l'existence moins incertaine et moins vague, en l'aidant à structurer ses journées, à faire des plans à court terme et à long terme et à se contrôler au lieu de se laisser emporter par les événements. La plupart du temps, les personnes sujettes aux crises d'angoisse sont peu sûres d'elles-mêmes et ne savent pas comment agir sur leur environnement. Parce qu'elle manque de confiance en elle-même, la consultante doit être constamment rassurée afin d'éviter les réactions de panique. Une aide professionnelle peut aussi lui permettre de clarifier ses pensées en précisant et en ordonnant celles-ci, en identifiant les motifs et les mobiles. Ce sera de plus l'occasion de prendre conscience de quelques règles générales qui sous-tendent les comportements des êtres humains dans leur façon de réagir aux événements, lesquels dépendent le plus fréquemment du passé vécu par chacun d'entre nous.

Il s'agit aussi pour la personne angoissée de se défaire des idées paranoïdes et obsédantes qui reflètent son trouble, sa confusion, ses incertitudes et son manque de confiance en elle-même. L'obsession étant un mécanisme psychologique utilisé par l'individu pour se rassurer lui-même sur ses compétences, sa valeur ou son intégrité corporelle, en un mot pour garantir sa stabilité mentale, il sera donc a priori très difficile de briser cette obsession puisque cela reviendra à détruire le mécanisme de survie que l'individu s'est choisi!

À nouveau, on aidera la consultante à trouver ou à retrouver un certain degré de confiance en elle-même. On l'aidera à dégager les points positifs qui existent chez elle comme chez tout être humain. Par la suite, on lui apprendra à mettre ces qualités en relief tout en tentant de réduire l'importance accordée aux points négatifs ou tout au moins de les accepter comme faisant partie intégrante de sa personnalité. Quant aux idées paranoïdes qui surgissent dans les instants de détresse et les moments d'incertitude, surtout après un échec ou quand on ne se sent plus maître d'une situation, il s'agira d'aider la consultante à reprendre confiance en elle-même, à persévérer et à maintenir son niveau de fonctionnement en transcendant cette réalité. Pour atteindre ces buts, la consultante doit demeurer impliquée dans ce qu'elle fait et ne pas se laisser aller à ses pensées provoquant des réactions de méfiance et de peur. Durant la thérapie, on lui fait découvrir aussi que sa peur des autres est une projection de sa peur d'elle-même, celle-ci étant engendrée par un manque flagrant d'assurance et de confiance en ses propres capacités.

Lorsque la consultante commence par dire: "je ne sais pas ce que je veux", "je ne sais pas quoi faire", "je me sens mal", "je ne veux rien", "je ne sais pas où je m'en vais", "j'ai peur mais je ne sais pas de quoi", phrases-clefs dans l'expression de l'angoisse, cela peut servir d'introduction à la personne-thérapeute pour lui faire comprendre ce qu'est l'angoisse et lui enseigner des moyens d'y pallier. Rien n'est plus dramatique que les incertitudes de l'existence dans l'éclosion de l'angoisse. On peut cependant y remédier en s'attachant à structurer sa vie par la mise en oeuvre d'activités, la formulation de buts à atteindre et l'élaboration de projets — ces différentes façons de faire face à l'angoisse se révélant, une fois que l'on en a pris l'habitude, des moyens simples et relativement faciles à adopter.

D'autre part, il s'agira bien sûr d'expliquer aux consultantes les raisons pour lesquelles elles sont toujours angoissées, plus que leur homonyme masculin. Combien de fois entendons-nous dire: "je ne comprends pas, il ne s'en fait pas comme moi" ou bien "il se la coule douce, il n'a pas de soucis comme moi"!

Nous avons déjà énoncé, dans le premier et le deuxième livre de cette série sur la femme et sa dimension psychologique, les multiples facteurs à l'origine de l'angoisse. Nous ne les reprendrons donc pas ici, mais mentionnons qu'au cours de la thérapie, lorsque l'occasion se présente, il est à propos de sensibiliser la femme non seulement à son passé propre de petite fille mais aussi à son passé historique en tant que femme en lui faisant prendre conscience de l'impact des schèmes socio-culturels dans le maintien de l'angoisse.

Tout comme le passé historique, le passé familial sera révisé. Si l'on a vécu avec des parents peu stables et eux-mêmes incertains quant à leur buts dans l'existence, parce que toujours à court d'argent et vivant constamment dans l'insécurité du lendemain, on a effectué un type d'apprentissage à la vie qui n'est certes pas fait pour aider l'adolescente et la jeune adulte à faire face aux moments d'inquiétude, mais qui accentuera plutôt ces derniers. De même, s'être entendu dire à longueur d'année que l'on est incapable, que l'on ne fera jamais rien dans la vie parce que l'on n'est bon à rien n'aide certainement pas non plus à affronter l'existence de gaieté de coeur et avec tout le courage requis! En plus de ces éléments familiaux que l'on retrouve aussi bien chez la femme que chez l'homme, il faut aussi, dans le cas de la première prendre en considération le vécu historique de son sexe, vécu, répétons-le encore une fois, fait de brimades et d'humiliations.

En thérapie, on essaiera de combler ces incertitudes — celles qui sont inhérentes à l'être féminin et celles qui proviennent du milieu familial — en orientant la femme vers l'action, en développant son sens des responsabilités et en lui apprenant à prendre des décisions.

c) Cas particuliers: l'hystérie, les phobies et l'anorexie mentale

Comme nous l'avons déjà mentionné au cours de notre second livre, nous concevons *l'hystérie, les phobies et l'anorexie comme des manifestations particulières de l'angoisse. Ces manifestations diffèrent les unes des autres mais elles ont la même origine: elles dépendent de nos schèmes socioculturels et ne rendent compte de leur existence qu'à travers ces derniers.* Chez la femme hystérique, c'est l'angoisse devant une sexualité qui reste à assumer, devant un corps qui, en état de privation, réagit parce qu'il est non satisfait; l'angoisse trouvera alors son expression principalement à travers ce même corps. Chez la femme phobique, c'est l'angoisse devant le monde environnant, et cette angoisse se soldera par un refus du passage à l'acte, lequel se manifestera par le refus de participer à certaines activités sociales spécifiques. Chez l'adolescente anorexique, c'est l'angoisse devant l'image de soi, et cette angoisse se traduira par une non-acceptation de soi comme être humain. Remarquons que ces différentes manifestations de l'angoisse peuvent apparaître ensemble chez la même personne ou séparément.

C'est toujours la peur qui submerge la vie de la femme hystérique, la peur qui paralyse la femme phobique, la peur qui ronge l'adolescente anorexique et, surtout dans les cas d'hystérie et de phobies multiples, ce sont de multiples questions sans réponse qui inciteront les femmes à venir chercher de l'aide: "pourquoi suis-je comme ça?" "pourquoi ai-je toujours peur?" "qu'est-ce qui se passe?" "je ne sais pas de quoi j'ai peur."

L'hystérique panique, il lui faut absolument des médicaments; des médicaments pour dormir, des médicaments pour calmer ses tremblements et ses céphalées, des médicaments pour ses troubles gastriques et intestinaux, des médicaments pour lui redonner l'appétit [2]. C'est par les médicaments que commencent les thérapies et qu'elles finissent, sans guérison à prévoir bien entendu. La femme hystérique étant insatiable dans ses demandes et se répétant éternellement dans ses maux, le processus thérapeutique se limitera le plus souvent à donner des médicaments: elle écoutera d'une oreille distraite les réponses à ses questions, toujours les mêmes, sa vie se centrant sur des malaises physiques qu'elle décuple justement en en parlant trop et trop souvent. À chaque session, les mêmes questions seront posées: "j'ai mal à la tête, pourquoi?", "j'ai des nausées, pourquoi?" et les mêmes réponses seront données: "vous avez mal à la tête parce que vous vous tourmentez"; "vous avez des nausées parce que vous êtes angoissée". En général, la femme hystérique abandonnera d'elle-même sa psychothérapie, très insatisfaite, et ira chercher ailleurs une aide qui ne lui donnera pas plus de satisfaction.

Chez la femme qui présente des phobies sans pour autant être hystérique — dans le sens où elle sera capable de contrôler ses émotions autres que la peur — la psychothérapie sera quelque peu différente. D'une part, son niveau d'intelligence étant supérieur à celui de la femme considérée comme hystérique, la thérapie n'en sera que plus facile, plus enrichissante et plus fructueuse; d'autre part, comme ce type de

---

2. Très souvent, la femme hystérique ira consulter des médecins car elle pense que son mal est physique: à l'un, elle se plaindra d'un type de malaise, "en rajoutera" avec un autre, etc. Jamais satisfaite, jamais contente des traitements appliqués et des médicaments donnés, elle ira butiner auprès de ces différentes personnes de nouvelles ordonnances qui bien sûr ne feront jamais l'affaire. Au bout du compte, cette femme aura une véritable pharmacie dans sa salle de bain mais elle restera avec ses maux.

femme exprime plus authentiquement son désir de se défaire de sa pathologie, elle aura de plus grandes chances de voir son état s'améliorer même s'il n'y a pas disparition totale et permanente des attitudes phobiques.

L'approche, dans le cas des phobies, est une approche plurithérapeutique: thérapie individuelle sous différentes formes, comme nous allons le voir ci-dessous, thérapie de couple et thérapie de groupe. Chacune de ces thérapies est appliquée selon un processus précis, la thérapie de couple et celle de groupe n'étant proposées qu'au moment où la consultante phobique se trouve prête à aborder les problèmes conjugaux et à se mesurer à la cause manifeste de son malaise, la société.

Que ce soit en thérapie individuelle, de couple ou de groupe, il s'agit d'opérer un déconditionnement socio-culturel comme dans les cas d'hystérie et d'anorexie. Ce genre de travail est bien sûr un travail à long terme puisque l'on doit défaire un conditionnement ancien qui non seulement fut appliqué durant les années de jeunesse mais qui fait aussi partie de tout un contexte politico-socio-culturel allant dans le même sens!

Il est pratiquement impossible d'aider une hystérique à améliorer sa condition, d'abord parce que son déséquilibre nerveux a entraîné un disfonctionnement plus ou moins généralisé de son organisme, lequel se manifeste par des maux physiques d'origine nerveuse difficilement curables parce qu'irréversibles [3], et parce qu'elle n'a pas l'intelligence requise pour opérer les prises de conscience nécessaires pour trans-

---

3. Très souvent, l'hystérique aboutira dans une salle d'opération pour subir l'ablation partielle ou totale d'un organe qui, parce que devenu trop sensible au stress, ne peut plus assurer sa fonction du fait de la détérioration des tissus. Ce sera par exemple l'estomac, le colon ou la vésicule biliaire. Pour des raisons différentes, parce que l'hystérique dit souffrir de terribles douleurs, ce sera l'ablation des ovaires ou de l'utérus ou des deux à la fois. Cette personne pourra, au cours de sa vie, subir plusieurs opérations d'un tel genre.

former ses conditions d'existence et véritablement se connaître. Il en va différemment de la femme phobique. Pourquoi?

La femme que l'on appelle hystérique est incapable de maîtriser ses émotions; elle déborde de partout. Rien ne demeure dans son cerveau; conseils, recommandations, explications glissent sans espoir de se fixer ni d'être retenus, analysés, intégrés et décodés en fonction de sa forme de pensée et de son pouvoir d'appréhension du monde, des autres et d'elle-même. Elle se limite à poursuivre un rêve de séduction impossible à actualiser puisqu'elle est attachée pour toujours à l'image paternelle. Elle ne le réalisera jamais, centrée sur ses maux physiques qu'elle perçoit, prenant les effets pour des causes, comme les véritables déterminants de ses problèmes psychologiques. Elle sait mieux que son thérapeute ce qui se passe chez elle et n'en démord pas; la thérapie est un dialogue de sourds. Son étroitesse d'esprit reflète les limites de son intelligence.

Par contre, les chances de réussite sont plus grandes chez la femme phobique. Tout d'abord, les phobies donnent lieu à des comportements difficilement supportables et celle qui se trouve prisonnière de ces conduites voudra s'en débarasser au plus vite. En second lieu, celle qui devient phobique uniquement par manque d'assurance et de confiance en elle-même — sans présenter les problèmes de l'hystérique dans l'identification de son objet sexuel — a face à son environnement une sensibilité et une perspicacité qui lui faciliteront la prise de conscience, ce qui lui permettra d'opérer les changements nécessaires dans sa façon de penser et dans ses attitudes face à l'existence.

Le déconditionnement s'opère à plusieurs niveaux pour la personne phobique: au niveau mental, par une meilleure connaissance de soi grâce à un regard sur elle-même en première instance; cette première étape sera suivie d'un changement ou d'une transformation des formulations d'idées, d'un recours à la logique propre et au bon sens. Parallèlement, des transformations s'effectueront au niveau des comportements, en termes de relaxation ou de relâchement des tensions causées par les peurs multiples.

Ainsi, par la thérapie en profondeur d'une part et l'utilisation de la logique et du jugement d'autre part, ces deux processus aidant à défaire le conditionnement socio-culturel relatif aux peurs et aux phobies, la consultante peut arriver à maîtriser ses attitudes et ses comportements de retrait. Ce processus de maturation suivi d'une prise de conscience et de changements des attitudes et des comportements peut prendre quelques mois à quelques années. Hélas, il y a toujours une possibilité de renouer avec les vieilles habitudes ancestrales[4]. Comme nous l'avons déjà dit maintes fois, il est difficile de se défaire de vieilles habitudes qui ont existé pendant des siècles et qui demeurent en vigueur autour de nous et en nous.

La femme phobique présente parfois une structure de personnalité hystérique. En termes pratiques, elle a peu ou pas de contrôle sur ses émotions ou sur ses pensées et elle se laisse aller à ses états de malaise et d'inconfort comme un petit animal blessé parce qu'elle n'a pas l'éveil intellectuel nécessaire et parce qu'elle a été soumise à un conditionnement socio-culturel rigide visant à lui apprendre son métier de femme-femelle dans les règles de l'art. Dans ce cas-là, je dois avouer sincèrement qu'elle n'a aucune chance de changer, c'est-à-dire de prendre conscience de sa nature de femme-personne et des raisons socio-culturelles et personnelles qui ont provoqué ses peurs inextinguibles. Même une technique de relaxation très simple comme celle de Jacobson[5] pour soulager la tension physique a peu de chances de réussir.

---

4. Voir le cas d'Irène.
5. Nous décrirons plus loin les différentes techniques de relaxation offertes de nos jours.

À l'opposé, si la femme phobique possède une structure de personnalité de type obsessionnel, structure caractérisée par un contrôle rigide et à la limite excessif des pulsions, par un niveau d'intelligence au-dessus de la moyenne, par un don de perception très affiné ainsi que par une tendance, pour ne pas dire un besoin, d'atteindre la perfection et le succès en toute chose, les chances de se défaire de ses attitudes phobiques sont plus nombreuses à long terme. Pourquoi?

Tout d'abord, ce genre de personne écoute attentivement et a tendance à beaucoup réfléchir. Le moment de réflexion peut être long; il faut du temps pour que les idées fassent leur chemin dans les nombreux méandres de la pensée, méandres si caractéristiques de l'obsessive, mais cette réflexion est là et se trouve généralement couronnée de succès. D'autre part, si la personne-thérapeute sait mettre la consultante phobique en confiance et la rassurer par sa compréhension et sa bienveillance tout en lui proposant des solutions pratiques et raisonnables, cette consultante aura tendance à suivre ces conseils après mûre réflexion. Personne n'a l'esprit plus critique, plus aiguisé et plus impitoyable que les obsessifs; il s'agit donc de ne pas commettre d'erreurs de jugement et de raisonnement! Une fois mise en confiance et rassurée, la consultante accepte aisément de poser un regard critique sur elle-même et d'identifier la cause de ses phobies: un apprentissage sous-culturel qui est à l'origine de ses impressions d'infériorité quand elle se compare aux autres et de ses sentiments d'insécurité bien enfouis au plus profond de son être, et qui exacerbe ces diverses impressions.

Après le temps de réflexion et de maturation vient le temps des changements et des transformations: la phobie représente avant tout un moyen de défense contre un univers menaçant. Il s'agit de se protéger des sentiments d'agressivité qui accompagnent presque infailliblement le besoin de tout diriger et de tout dominer et la peur d'être confrontée avec l'impression d'être imparfaite, surtout quand on se compare à autrui. Il s'agit aussi d'éviter de vivre dans le tourment engendré par une extrême sensibilité au jugement d'autrui et dans la peur inconsciente d'être mal acceptée et reléguée à une place subalterne dans l'esprit et le coeur des autres.

Les phobies, quelles qu'elles soient, mais plus particulièrement les agoraphobies, ne vont se résorber que si on entreprend une thérapie intensive de déconditionnement et de désensibilisation de la consultante phobique par rapport aux idées qu'elle s'est forgées quant à l'origine de ses phobies; d'autre part, la réussite du traitement dépendra aussi du degré de confiance que la consultante aura dans la thérapeute ainsi que des capacités et de l'assurance de cette dernière.

Notons, avant d'aller plus avant, que le terme déconditionnement est un terme général s'appliquant à une transformation plus ou moins intégrale d'une forme de pensée tandis que le terme désensibilisation se réfère surtout à une technique spécifique de déconditionnement. Le but de cette technique particulière est de réduire le potentiel anxiogène de la situation qui est perçue comme phobique.

Différentes versions sont offertes: parmi les plus célèbres, il y a la désensibilisation systématique en imagination, séances durant lesquelles on présente à la consultante, de façon répétitive, les situations provoquant des réactions phobiques. Le même événement est repris verbalement autant de fois qu'il est nécessaire jusqu'à ce que la personne n'ait plus aucune réaction d'angoisse même à la simple pensée de cette situation. En général, la présentation des items se fait de façon graduée en commençant par les situations les moins anxiogènes pour terminer par les événements les plus dramatiques.

Une autre version, également populaire, a reçu le nom de désensibilisation systématique *in vivo* [6]. Cette technique, très simple comme nous allons le voir, est entreprise soit indépen-

6. *In vivo:* expression latine signifiant "dans la réalité, en action".

damment soit en conjonction avec la désensibilisation en imagination. Dans cette seconde version, la thérapeute accompagne littéralement la personne phobique pas à pas dans son processus de désensibilisation, la consultante devant se rapprocher concrètement de l'objet de sa phobie de façon progressive. Chaque étape est graduée et l'on avance au fur et à mesure que l'angoisse ressentie au sujet de chaque situation précédant celle que l'on veut aborder est maîtrisée: par exemple, dans la peur de prendre le métro, on accompagnera la consultante phobique à proximité du métro, puis dans la station de métro, ensuite dans le métro lui-même pour le trajet d'une station puis de deux stations et ainsi de suite jusqu'à ce que cette personne puisse prendre le métro seule. Avant de passer à l'étape suivante, on s'assurera que la consultante est dénuée de toute appréhension.

Ces deux techniques de désensibilisation systématique sont pratiquées en général après une technique de relaxation musculaire, la plus utilisée étant la technique de détente progressive de Jacobson. Nous en reparlerons un peu plus loin.

La troisième version de désensibilisation est l'implosion, méthode radicale par laquelle la consultante phobique doit faire face d'emblée à sa phobie. Par exemple, si elle présente une phobie de la foule, il s'agira de lui faire imaginer la scène la plus angoissante, comme de se trouver dans un grand magasin à une heure de pointe; les clients, autour d'elle, la bousculent; la vendeuse lui répond de façon cavalière et peu affable; elle commence à se sentir très mal, elle est prise de vertiges et de nausées, elle craint de se rendre ridicule. Si elle s'évanouissait devant tout ces gens qui semblent la fixer d'un oeil sévère et critique! Le but de cette technique singulière, comme celui des deux autres, est, ainsi que son nom l'indique, de désensibiliser la personne phobique au *stimulus* ou aux *stimuli* provoquant les peurs paniques et précédant les conduites d'évitement ou de fuite. Il s'agit, à travers l'appréhension d'un vécu perçu soit par l'imaginaire soit dans la réalité, de montrer à la consultante, de lui faire comprendre mais surtout de *lui faire sentir* qu'il n'y a pas lieu de paniquer, l'objet de sa phobie étant inoffensif dans la vie quotidienne.

Que ce soit par la technique de désensibilisation systématique, par l'utilisation de l'imaginaire ou de l'*in vivo*, on cherche à habituer progessivement la personne phobique à maîtriser ses peurs. Cette méthode correspond point par point à un apprentissage classique dans les processus de répétition et de gradation qui le composent. Le but à atteindre dans le cas des phobies est double: déconditionnement et reconditionnement, déconditionnement vis-à-vis de la supposée nocivité de certains *stimuli* et reconditionnement lorsque la personne se rend compte de l'innocuité de ces mêmes stimuli.

Par la technique d'implosion, le même but est recherché mais de la manière opposée. On met la personne en état de choc et on la submerge des *stimuli* les plus agressifs, les plus alarmants et les plus déplaisants dans l'espoir que se déclenche brusquement la réaction attendue, c'est-à-dire une immunité toute neuve à des choses, des situations ou des personnes ayant fait autrefois l'objet de frayeurs paralysantes et ayant engendré un état de hantise. Cette technique, assez surprenante par la manière dont elle est appliquée et les résultats positifs auxquels elle peut conduire, est conçue d'après le modèle du *one trial learning* ou apprentissage après un seul essai.

•

Nous venons de voir que, pour le cas d'une consultante phobique, un arsenal assez complet d'approches thérapeutiques est possible. Cet arsenal se compose en premier lieu d'une thérapie individuelle de déconditionnement socio-culturel et personnel au sens général du terme. Cette thérapie vise des changements sous plusieurs angles et en profondeur au niveau des idiosyncrasies émotives et affectives en faisant appel à l'intellect — la raison, le bon sens, le jugement et l'intuition [7]. En conjonction avec l'approche individuelle, une thérapie de couple et/ou une thérapie de groupe sont à recommander. Le contact avec le groupe représentera un excellent test de la capacité de contrôle face à une situation sociale, tandis que les entrevues conjugales éclaireront le mari sur les comportements qu'il devra adopter en présence d'une épouse phobique. Nous reparlerons de ces techniques de façon plus approfondie quand nous aborderons les groupes.

L'approche individuelle pourra aussi être adoptée dans le cas d'une consultante anorexique; cependant, selon l'âge et le statut civil de celle-ci, une thérapie familiale ou des entrevues de couple constitueront d'excellents compléments. Pour la jeune femme anorexique, il s'agira, à force de le répéter, de lui apprendre à distraire son esprit de ses obsessions paralysantes et stériles, par exemple celles qu'elle a sur ses choix quotidiens de nourriture, de boisson, sur leur quantité et sur le choix des périodes de la journée durant lesquelles elle se donne l'autorisation de manger et de boire. On l'encouragera à porter son attention sur d'autres aspects de sa vie; vie familiale, vie professionnelle, vie académique, créativité. L'aider à transformer l'idée qu'elle a de son image corporelle, se trouvant grosse alors qu'elle est mince, pensant qu'elle a du ventre et de grosses cuisses alors que son ventre est plat et ses cuisses tout à fait proportionnées avec le reste de son corps, serait une tâche épuisante et inutile. Mieux vaut lui conseiller

---

7. Différentes écoles de pensée sont adoptées pour éveiller l'intellect à nos propres façons de percevoir le monde et de réagir et pour susciter de possibles transformations pour le bien et le bonheur de la consultante. Comme nous le verrons dans le chapitre sur les thérapeutes, c'est selon l'inclination personnelle de la personne-thérapeute et donc selon sa propre forme de pensée qu'elle appréhendera les problèmes de la consultante et qu'elle tentera de les résoudre. L'appréhension du fonctionnement mental de la personne peut se faire selon différents modèles tels que, parmi les systèmes orthodoxes les plus populaires ou les plus modernes: une unité gestaltiste, une vision jungienne, une équation behavioriste ou mieux, une combinaison de ces modèles.

de prendre chaque jour un repas équilibré. L'approche individuelle semble aussi un travail très fastidieux et bien inutile. Mieux vaut une thérapie familiale si elle vit toujours avec ses parents, ou une thérapie de couple si elle est mariée.

Dans ces deux cas, au cours de séances durant lesquelles les relations familiales se reproduisent naturellement dès qu'on lance la conversation sur les sujets brûlants, la jeune anorexique doit faire face de façon concrète à son besoin d'autonomie et même d'indépendance, à son besoin de se prendre en charge, à son agressivité latente vis-à-vis de parents qui osent lui dire quoi faire ou lui mettre des "bâtons dans les roues" alors qu'elle ne les trouve pas à la hauteur, à son besoin de se sentir supérieure à eux et parfaite, tout en sachant très bien qu'elle contrôle la vie de toute la famille avec son anorexie, à la manière d'une opératrice devant son ordinateur. L'espoir se place, durant les sessions de thérapie familiale ou de couple, sur une meilleure compréhension des membres de la famille les uns vis-à-vis des autres, sur une meilleure acceptation des besoins mutuels des uns par rapport aux autres ainsi que de leurs besoins personnels. Le résultat attendu demeure une diminution de la tension initiale engendrée par les parents mais maintenue par la fille avec son arme de guerre, le "je ne mangerai pas puisque c'est comme ça". Cette diminution de tension devra autant que possible s'accompagner des transformations nécessaires, c'est-à-dire que la jeune fille ou la jeune femme mange normalement sans être obsédée par des fluctuations de poids de cent grammes ou de deux kilos ainsi que par tout ce qui touche à la nutrition. Elle développera alors l'idée de se valoriser et de s'affirmer vis-à-vis d'elle-même, de ses parents ou de son mari dans des domaines moins stériles et donc plus enrichissants — si l'on peut utiliser le mot dans ce cas précis! — que celui de ne pas se nourrir, et les parents arrêteront de s'affoler devant les conduites excessives de leur fille.

Comme dans tous les cas-problèmes où il y a formation et structuration de "mauvaises" habitudes, c'est-à-dire de comportements nuisibles pour l'organisme — nous pensons à l'alcoolisme, à la prise d'hallucinogènes, aux phobies et, ici, à l'anorexie —, plus vite le problème sera identifié et porté à l'attention d'une ou d'un spécialiste, plus il y aura de chances d'obtenir une rupture de la mauvaise habitude. Nous savons toutes et tous que plus on attend, plus il est difficile de réagir et de changer, même lorsque c'est pour un mieux-être, l'être humain se caractérisant par une force d'entropie [8] négative qui l'emporte trop souvent sur la positive!

Récapitulons les données présentées au sujet de la psychothérapie individuelle. Pour commencer, mentionnons que notre compréhension de la femme, de sa psychologie et de ses problèmes s'insère dans un ensemble historico-socio-culturel qui modèle depuis toujours ses pensées, les saines comme les confuses, et ses conduites, celles qui sont appropriées comme les déviantes. Cela est valable pour la grande majorité des femmes angoissées et déprimées qui viennent nous consulter dans les centres de santé mentale ou dans les centres psychiatriques. En second lieu, nos consultations avec les femmes sont conçues sur une base pratique, concrète et active. La forme différera selon le problème présenté, comme nous venons de le voir précédemment. Durant nos consultations, il y a toujours une interaction dynamique verbale: prêtant tout d'abord une oreille attentive pour comprendre, nous disséquons par la suite, nous interprétons ensemble pour finalement organiser, toutes les deux, des programmes d'action. Il n'y a pas d'écoute passive et de laisser-faire: l'ensemble de la consultation se caractérise par du support, des explications, une écoute attentive, des reflets, des propositions de choix, d'orientation et un agencement de pro-

---

8. Entropie: au sens étymologique, action de se retourner, de changer d'état, de se transformer.

grammes soit d'activités, soit de réhabilitation, le tout entrepris dans le but ultime d'un mieux-être pour la consultante. Ce but est avant tout de mieux se connaître, de parvenir à une meilleure compréhension des causes de ses souffrances et de ses conduites désordonnées et même de les prévoir sans s'affoler ou devenir trop déprimée ainsi qu'elle le faisait quand elle ne comprenait pas ce qui lui arrivait. L'expression "se connaître", veut dire que la personne réalise ce dont elle est capable et comment elle doit réagir et se comporter dans la vie, ce qui n'est possible que si elle a une perception exacte de l'influence de son environnement — famille, mari, ami, enfants, conditions de travail, conditions de vie — dans l'organisation de sa pathologie ou tout au moins dans la formation de ses idiosyncrasies.

Le mieux-être visé s'accompagne toujours d'une prise en charge de la consultante par elle-même au moment où elle parvient à devenir autonome et responsable vis-à-vis de sa propre personne, elle qui jusqu'à maintenant avait toujours été dépendante des autres et s'était toujours sentie responsable pour les autres mais pas pour elle-même. En conjonction avec la thérapie individuelle, qui représente la base de la pratique actuelle dans le centre de santé mentale, trois autres catégories de thérapie sont offertes comme compléments à cette quête vers un mieux-être.

II. La psychopharmacologie

Son domaine est vaste; quant à sa valeur curative, les résultats demeurent contestables et fort douteux, excepté dans deux cas bien précis comme nous le verrons dans quelques instants.

Son domaine est vaste: il existe une multitude de produits chimiques affectant le système nerveux central de différentes façons. Le but recherché est de rétablir l'équilibre mental, à la fois nerveux et émotionnel, de la personne en reproduisant l'équilibre bio-chimique intra et extra-cellulaire au niveau des neurones du cerveau. Cela se fait par l'induction artificielle de quantités désirées de neuro-transmetteurs[9], en moins ou en plus, aux jonctions synaptiques. Si l'on parvient à induire les quantités nécessaires et exactes de neuro-transmetteurs aux jonctions synaptiques, la personne qui se plaint de dépression ne sera plus déprimée, celle qui souffre ne souffrira plus, celle qui est submergée par l'angoisse ne le sera plus, celle qui se sent lymphatique et apathique se trouvera pleine d'énergie et au septième ciel. Hélas, il est difficile de copier la nature et de changer son cours, d'autant plus que l'état de nos connaissances en biochimie cellulaire, en particulier celle du système nerveux central, est encore au stade des vagissements. On pense que les neurones du cerveau fabriquent un très grand nombre de neuro-transmetteurs dont une infime partie — seulement une dizaine — ont été jusqu'à présent identifiés. Les mieux connus dans leur formule chimique, leur mode de formation et de dégradation, leur site d'action ainsi que leur influence sur nos états psychologiques sont la dopamine, la sérotonine, la norépinéphrine et les endorphines[10]. Mais même

9. Les neuro-transmetteurs représentent la clef de nos impressions d'angoisse, de dépression, de nos sentiments de tristesse, d'euphorie, de bonheur tranquille ou sublime, de notre perception de la douleur ou de sa négation, de notre disponibilité dans l'acte sexuel ou de notre indifférence, de nos sensations de faim ou de satiété. C'est un produit chimique naturel qui, accumulé dans de petites vésicules aux jonctions synaptiques des neurones va, au besoin, être déchargé en se dégradant sur les neurones voisins et sera à l'origine de stimulations, en plus ou en moins, donnant naissance, par exemple, à l'excitation ou à la dépression. Prenons, pour illustrer ceci, le cas de neuro-transmetteurs déjà identifiés dans leur formule chimique, leur production ainsi que leur dégradation et leur sites d'action: la sérotonine, la norépinéphrine et la dopamine. S'il y a libération en excès de sérotonine aux synapses, nous aurons tendance à nous sentir lourdes, ensommeillées, déprimées; s'il y a surproduction de norépinéphrine et de dopamine, nous aurons tendance à nous sentir éveillées, alertes, prêtes à conquérir le monde.

10. Endorphine: neuro-transmetteur à fonction analgésique dont l'effet est semblable à celui de la morphine. Comme les autres transmetteurs, les endorphines sont sécrétés par le système nerveux central, soit le cerveau et la moëlle épinière.

si l'on connaît les mécanismes de dégradation d'un certain nombre d'autres neuro-transmetteurs moins célèbres fabriqués dans cette usine de produits chimiques ultra-complexe que constitue notre cerveau, il reste que leurs sites d'action préférentielle sont encore à découvrir. Enfin, il demeurera toujours difficile au biochimiste de synthétiser artificiellement en laboratoire des produits capables de mimer de façon parfaite sur nos cellules l'action des neuro-transmetteurs naturels. Cette dernière constatation compte d'ailleurs au nombre des problèmes posés par tous les produits de synthèse. Ainsi donc, les personnes qui prennent des médicaments psychotropes[11], doivent garder en mémoire que ces produits de synthèse donnés afin de rétablir un équilibre mental et nerveux chancelant ne sont que les grossières copies des quelques neuro-transmetteurs naturels fabriqués par nos cellules nerveuses.

Donc, le médicament du système nerveux central agit de façon massive et indiscriminée sur l'ensemble du cerveau comme un coup de gourdin qui assomme les différents centres de commande, ceux que l'on veut affecter et ceux qui n'intéressent pas! C'est d'ailleurs à cause de cette action générale et non discriminatoire des psychotropes sur l'ensemble des structures nerveuses que, même si la personne à laquelle on donne le médicament devient moins anxieuse et moins déprimée, elle risque de présenter des troubles additionnels qu'elle n'avait pas auparavant, tels les problèmes neurologiques comme l'akathisie[12] et les tremblements, les ennuis cardio-vasculaires, gastro-intestinaux ou autres.

À toute fin pratique, nous regroupons les médicaments du système nerveux central appelés drogues psychotropes en quatre catégories: les antidépresseurs, les tranquillisants

---

11. Psychotrope, c'est-à-dire ayant une action sur le psychisme.
12. Akathisie: difficulté de rester en place, debout ou assis. La personne est constamment en état d'agitation dans ses mouvements.

majeurs, les tranquillisants mineurs et les hypnotiques. Comme nous pouvons le constater dans la pratique psychiatrique courante, l'effet thérapeutique est net dans le cas des médicaments utilisés pour la régulation de l'humeur: ou peut pallier aux trop grandes chutes dans la dépression à l'aide des anti dépresseurs [13]. On peut éviter les sautes d'humeur — de l'hypomanie à la grande tristesse — avec le lithium [14]. Bien sûr, il ne s'agit pas, pour toute femme déprimée, de prendre les "pilules du bonheur", car ces pilules ne sont pas compatibles avec la chimie de toutes les femmes, surtout de celles qui souffrent de troubles cardio-vasculaires. Il faudra donc plutôt essayer ces médicaments, voir s'ils conviennent à l'organisme et s'ils ne produisent pas trop d'effets nocifs après leur ingestion puisque — et c'est là la seconde difficulté à laquelle on doit faire face avec l'ensemble des drogues psychotropes — il faut s'attendre à ce qu'il y ait des effets secondaires.

On entend par effets secondaires des effets nocifs causés par un médicament. Dans le cas des antidépresseurs, les effets les plus répandus sont des troubles de la vision, la sècheresse de la bouche, des palpitations, des fluctuations de la tension, des vertiges, de l'agitation et de légers tremblements.

Les résultats escomptés par l'utilisation systématique des tranquillisants majeurs et mineurs et des hypnotiques sont contestables et fort douteux dans leur ensemble. Ces drogues, en particulier les tranquillisants mineurs et les hypnotiques, devraient être données avec circonspection et modération.

Si ces résultats sont contestables, c'est pour la raison évoquée plus haut, à savoir que le produit chimique de synthèse agit à la façon d'une massue avec des effets secon-

---

13. Antidépresseurs: parmi les plus populaires et les plus constamment utilisés, Amitriptyline , Imipramine.
14. Lithium: un antimaniaque dont les résultants, lorsqu'il est bien absorbé par l'organisme, sont très prometteurs.

daires parfois catastrophiques et même irréversibles [15], mais aussi et surtout parce que l'effet recherché par la prise des psychotropes n'est pas obtenu dans la plupart des cas.

Les gens prennent ces médicaments ou on les leur fait prendre pour qu'ils soient moins nerveux, moins agressifs, moins anxieux et plus aptes à fonctionner dans la vie quotidienne. Qu'en est-il exactement?

Les neuroleptiques majeurs [16] sont prescrits dans les cas de grandes angoisses quand la personne ne sait plus ce qu'elle fait, qui elle est et où elle est. Elle ne peut plus contrôler ni ses gestes, ni ses pensées et elle est prise par ses délires avec ou sans hallucinations, avec des idées paranoïdes, suicidaires ou meurtrières. Cette personne, en un mot, à perdu le sens des réalités et évolue dans un monde imaginaire. Quelle est l'action du neuroleptique? Il assoupit; la personne devient lente aussi bien au niveau de l'expression de ses idées que dans ses comportements, mais ses idées bizarres restent bizarres, ses impressions que les gens lui veulent du mal et vont lui jeter un mauvais sort demeurent, de même que ses hallucinations visuelles ou auditives. La pathologie demeure, mais comme la malade parle moins, elle ne fait donc pas partager au monde ses visions fantastiques, ses idées paranoïdes et les angoisses qui la torturent. Elle garde ses secrets, n'en faisant mention que si on le lui demande. La malade devient donc une "bonne" malade, sage et tranquille. Ce sont-là des bénéfices valables de toute évidence pour l'entourage: on ne la voit plus gesticuler et agir de façon étrange, ce qui avait le don de perturber les

---

15. Irréversibilité comme dans le cas des neuroleptiques donnés durant des périodes prolongées s'étendant sur plusieurs années. Les tranquillisants majeurs entraînent à la longue l'apparition de symptômes parkinsoniens (akathisie et tremblements) causés par la destruction des cellules des centres moteurs responsables des réflexes et de la coordination des mouvements.
16. Chlorpromazine (largactil), Haloperidol (Haldol), fluphénazine (Moditène) sont parmi les neuroleptiques les plus populaires.

gens autour d'elle ou on ne l'entend plus raconter ces histoires insensées, ce qui rendait la famille encore plus impuissante et plus irritée; enfin, tout le monde est rassuré quant à des velléités de tuer ou de se tuer puisque les neuroleptiques ont calmé son agressivité. Il est certain que les causes des troubles psychologiques donnant lieu à la maladie ne seront jamais atteintes. Les dommages créés étant trop profonds et trop anciens et la personne est devenue beaucoup trop fragile psychologiquement pour entreprendre une thérapie verbale.

On obtient donc un soulagement partiel de l'angoisse grâce aux neuroleptiques. Les manifestations perdent de leur caractère dramatique, mais les facteurs en demeurent impénétrables. Comme l'angoisse fait partie inhérente de notre existence dans la relation que nous maintenons avec le monde qui nous entoure, nous ne pouvons la combattre qu'en *nous attaquant aux situations qui la créent et non en nous attaquant à notre être physique!* Or, la personne en état de grande angoisse ou de psychose n'a pas ou n'a plus l'énergie de lutter.

L'usage des tranquillisants doit être vu comme un apaisement mais non comme une guérison. Il est humain de les prescrire de façon systématique dans les cas dangereux, critique et désespéré [17], mais dans tous les autres cas ils ne devraient l'être que de façon transitoire, en phase initiale ou en phase de rechute, et non tout le temps et *indéfiniment* comme on le voit trop souvent et dans trop de cas — je pense surtout à l'usage immodéré que les femmes font des tranquillisants mineurs et des somnifères [18]. Combien de femmes dans nos cliniques locales exigent du valium ou toute autre pilule pour "se sentir moins nerveuse et dormir" après s'être habituées

---

17. Par exemple, les personnes en état de délire qui veulent se tuer ou tuer, qui sont victimes d'hallucinations et posent des gestes incompatibles avec nos normes sociales, ou plus communément qui se trouvent dans un état de grande souffrance morale et de grande confusion.

18. Tranquillisants mineurs: Valium et Librium, parmi les plus connus; somnifères: Placidyl et Dalmane.

à ces drogues pendant des années! Ou bien, à l'opposé mais en moins grand nombre, quelques-unes d'entre elles viennent consulter parce qu'elles veulent arrêter "leur" Valium après des années de dépendance mais, esclaves de leurs pilules, elles ne peuvent pas y parvenir toutes seules!

Quel est le rôle des tranquillisants mineurs et des somnifères? Ils comblent les impatientes et satisfont la paresse mentale et physique des indolentes en leur évitant de regarder les choses en face, de se poser des questions et d'essayer de résoudre leurs problèmes en utilisant leur bon sens et leur raison. Ainsi donc, ils aident à perpétuer indéfiniment les attitudes de passivité et de dépendance si typiques, si désolantes mais si réelles de la femme vis-à-vis de sa propre personne, des pilules et de celui qui les prescrit! Le raisonnement d'une telle femme sera simpliste et naïf: le médecin sait ce qu'il fait, elle peut donc remettre sa santé mentale entre ses mains.

Comme je l'ai mentionné auparavant, il y a deux types de consultantes: celles qui veulent à tout prix résoudre leurs problèmes avec la seule aide de leur intelligence et de leur bon sens, et celles qui veulent des pilules pour ne plus penser. Hélas, s'endormir sur ses problèmes psychologiques et se laisser aller à un bien-être artificiel et temporaire n'arrange rien du tout et ne résoud certainement pas les causes des cauchemars et de l'angoisse. Mais la fuite dans les paradis artificiels est tellement plus facile et plus douce qu'un coup d'oeil critique sur soi-même. Nous sommes en présence d'un cercle vicieux; la consultante veut atteindre un état de mieux-être avec des pilules et se maintient ou est maintenue dans une léthargie de laquelle il est difficile de la tirer; elle n'a aucunement conscience que c'est précisément sa façon passive d'appréhender les situations et les gens autour d'elle qui la rendent angoissée ou déprimée. Il sera d'ailleurs impossible, de façon générale, de travailler en psychothérapie avec ce genre de personnes, l'échec étant garanti et la quête vers un mieux-être demeurant du domaine de l'utopie.

Qu'en est-il, en résumé, de l'approche psychopharmacologique aux problèmes de l'existence et aux imperfections psychologiques?

Tranquillisants mineurs et somnifères sont à déconseiller si la femme veut vraiment régler ses problèmes et ses imperfections de façon durable et avec succès. Le Valium et le Placidyl ne sont qu'un écran masquant une réalité quelquefois difficile et peu plaisante à regarder. Quant aux tranquillisants majeurs, s'ils sont nécessaires pour calmer les grandes angoisses, ils comportent de grands risques à long terme lorsqu'ils sont pris indéfiniment.De toute manière, leur influence est illusoire puisqu'ils laissent l'être humain muet mais toujours enfermé dans son monde de chimères, lesquelles le rongent inlassablement. Les meilleurs résultats sont obtenus avec les antidépresseurs; hélas, il ne conviennent pas à tout le monde!

Devons-nous nous sentir très concernées par le manque de succès de la psychopharmacologie? C'est quand le biochimiste aura été capable d'identifier les innombrables neurotransmetteurs et saura les reproduire parfaitement qu'il nous faudra être vigilantes. En prenant une pilule, nous aurons le contrôle sur nos émotions, notre humeur, nos angoisses, nos peurs, nos douleurs et nous n'aurons plus à nous mesurer ni au stress ni aux problèmes de l'existence. Nous serons toujours d'humeur égale, gardant un niveau stable d'équilibre sur nos émotions. Nous aurons l'esprit libre pour développer notre créativité ou, à l'opposé, nous laisser aller à l'apathie comme certaines personnes le font déjà avec les tranquillisants mineurs et les somnifères.

Quel genre de personnes serons-nous, quel sens aura notre vie? Nous serons des mangeuses et des mangeurs de pilules puisque l'être humain est plus enclin à choisir les solutions de facilité, l'inertie et l'entropie négative. Est-ce que le biochimiste, l'apprenti sorcier de l'avenir, nous aura libérées pour la créativité et le bonheur dans l'harmonie avec les êtres aimés et le reste de l'univers? Ne nous aura-t-il pas plutôt rendues dépendantes de sa propre création, la pilule du bonheur? Heureusement, le cerveau est une usine ultra-compliquée dans la diversité de ses composantes; son fonctionnement sophistiqué demeure toujours un grand mystère, en particulier en ce qui concerne les interactions des multiples produits chimiques qui y sont synthétisés et dégradés. Le biochimiste a donc encore un grand travail à faire avant de rompre tous les codes en chimie cellulaire. Pendant encore longtemps, il s'agira donc de demeurer très lucide par rapport aux résultats obtenus à l'aide des drogues de synthèse étant donné l'état de nos connaissances. Nous ne sommes donc pas encore des esclaves converties aux pilules et il y a quelques chances pour que les femmes apprennent à règler leurs problèmes psychologiques sans pilules.

À l'opposé de l'approche psychopharmacologique qui, chez la plupart des femmes angoissées et déprimées, interfère davantage dans le développement personnel qu'elle n'est utile dans la découverte d'un mieux-être, d'autres thérapies encore considérées uniquement comme un appoint apportent de nouvelles dimensions au niveau de la connaissance de soi et de celle d'autrui: ce sont, d'une part, les groupes sous leurs différentes formes, et d'autre part, les multiples thérapies de relaxation. Commençons par les groupes.

III. Les groupes

Un groupe se compose de deux ou plusieurs personnes. Dans l'ensemble formé par les thérapies de groupe, nous incluons la thérapie de couple et la thérapie familiale. La thérapie de la famille est utilisée avant tout dans la pratique courante dans le but premier d'aider les enfants-problèmes et leurs parents à améliorer leurs relations réciproques et de parvenir à une meilleure compréhension les uns vis-à-vis des autres. De même, la thérapie conjugale est indiquée quand l'un des deux partenaires ou les deux se plaignent de leur vie de couple mais ont un commun désir de la poursuivre.

Dans ces deux cas particuliers de groupe, le couple et la famille, la thérapie a donc pour but principal d'améliorer la relation entre les différents membres de la constellation maritale ou familiale en développant une meilleure communication et une meilleure compréhension entre ses différents membres.

Si la thérapie de couple et la thérapie familiale font l'objet de thérapies principales et systématiques, il m'arrive très souvent aussi d'organiser des réunions de couple, et plus rarement de famille, à l'intérieur du cadre de la thérapie individuelle pour faire le point par exemple, ou avoir une idée du degré de compatibilité des conjoints et du type d'interactions qu'ils maintiennent avec leurs enfants. Il s'agit de mesurer à l'intérieur du couple, noyau de la famille, la résistance au stress de chacun des deux partenaires dans leurs interactions entre eux et aussi avec leurs enfants, de comprendre l'influence et le mode de relation de chacun, de me faire une idée du conjoint et de savoir jusqu'où les progrès accomplis par l'un des membres du couple dans sa thérapie ne vont pas interférer sérieusement dans le rapport des forces. En général, ce rapport de forces est un *statu quo* [19] établi depuis des années. Dans ce cas, on rappelle à chacun des partenaires les effets de la thérapie individuelle et on suggère à l'autre conjoint de poursuivre également une thérapie ou, tout au moins, de maintenir les entrevues de couple afin de faciliter un ajustement plus rapide à l'évolution qui s'opère chez celui ou celle qui avait souffert le plus de la disharmonie dans le ménage. Ces entrevues conjointes permettent aussi, nous l'avons dit, une meil-

---

19. *Statu quo*: dans une relation en état de disharmonie, l'un ou l'autre partenaire assume un rôle dominant tandis que l'autre devient passif-agressif; chacun s'habitue au rôle dans lequel il se sent le plus à l'aise tandis que les deux se jouent des scènes tragi-comiques où, par exemple, l'un des partenaires fera ses concessions habituelles tout en accusant l'autre d'égoïsme tandis que ce dernier profitera de la situation en humiliant encore davantage le premier!

leure compréhension de l'autre mais surtout, elles sensibilisent le couple aux réactions en chaîne [20] qui surgissent les unes après les autres et sans qu'ils s'en rendent compte dans leurs interactions. Ce travail ne se fait bien sûr que si le conjoint a l'intention de conserver sa relation.

Comme on le devine, de façon générale c'est à la femme que revient le plus souvent le désir et le souhait de conserver son ménage et c'est donc elle qui, la première, viendra demander de l'aide. Pourquoi? Elle aura adopté le rôle passif-agressif dans le couple à cause des stéréotypes bien connus qu'elle véhicule. Ce sera donc elle qui souffrira le plus, étant toujours dans l'attente de recevoir soit des rappels à l'ordre soit des coups. Elle aura acquis par la même occasion une tendance à se maintenir toujours sur la défensive. Vivant constamment dans l'incertitude et dans l'attente de quelque catastrophe, cette femme est donc toujours angoissée: elle n'a jamais l'esprit tranquille et demeure toujours sur le qui-vive.

En conjonction ou non avec les thérapies dont nous venons de parler, nous pouvons proposer à la consultante une approche par le groupe.

La thérapie individuelle peut lui permettre de mieux identifier ses points faibles et de les travailler. Les sessions de couple ou de famille lui apportent quelque lumière sur la nature de ses rapports avec chacun des membres de la famille et lui permettent de trouver un équilibre plus harmonieux.

20. Réaction en chaîne typique: un acte est posé, une parole dite sous forme de critique plus ou moins banale en soi mais qui, en général, va blesser l'autre, les deux conjoints sachant très bien, consciemment ou inconsciemment, ce qui attisera le plus la colère ou la jalousie de l'autre. La réponse à l'acte posé ou à la phrase donnée sera du style: "si tu continues, je vais...", donc des menaces après la critique: menace de rébellion, menace de départ. L'étape suivante, une fois la colère passée, sera celle des grandes accusations et des grands regrets du genre; "tu ne fais pas attention à moi", "si tu m'aimais vraiment..." etc. et si, par chance, et ce qui arrive le plus souvent, il n'y a pas de départ, tout se terminera par une réconciliation jusqu'au prochain épisode de redéfinition des besoins et des rôles de chacun!

Pour sa part, la thérapie de groupe proprement dite lui apportera une nouvelle dimension dans la connaissance d'elle-même. Dans le groupe formé non plus à partir de liens intimes ou personnels mais sur la base de besoins communs exprimés par des personnes étrangères les unes aux autres, le but recherché sera d'apprendre à réagir et à répondre de façon plus constructive aux intrusions morales et psychologiques d'un entourage perçu comme menaçant.

Un tel groupe sera considéré comme une mini-société, copie du monde réel, dans laquelle chaque consultante sera à même de voir qu'elle n'est pas la seule à souffrir et que d'autres partagent ses problèmes ou des problèmes similaires. Actuellement, parmi les groupes les plus populaires à l'usage des femmes, nous retrouvons le groupe d'affirmation de soi, le groupe de réflexion et le groupe de relaxation.

Le groupe d'affirmation de soi

Depuis une quinzaine d'années environ, on a recours à ce genre de groupes pour permettre à la consultante d'atteindre un certain degré de confiance en elle-même et de mieux-être et de diminuer l'angoisse qu'elle ressent face aux autres, son compagnon y compris, et face à l'apprentissage de ce que nous appelons en psychologie "les aptitudes sociales". Selon la personne-thérapeute et son style de travail, le groupe d'affirmation de soi sera structuré de différentes manières, mais le but du groupe ainsi que l'approche théorique de base le soustendant demeureront les mêmes: s'affirmer à travers de nouveaux modes de comportement.

Ce style de groupe fait en effet appel aux théories de l'apprentissage selon lesquelles une modification de la conduite ne peut s'opérer qu'à travers les processus d'exposition à de nouveaux modèles et de répétition. L'approche est donc de type behavioral et très concrète dans sa pratique. Il s'agira de proposer des thèmes aux participantes et de leur demander de jouer différents rôles en prenant un nouveau caractère, celui d'une personne sûre de ce qu'elle dit et confiante en ses capacités. Bien sûr, ce type d'apprentissage ne se fait pas en une journée. Les participantes doivent vaincre leur timidité les unes vis-à-vis des autres, c'est d'ailleurs une des raisons pour lesquelles elles se sont jointes au groupe; en second lieu, beaucoup d'attitudes non-verbales et d'expressions verbales sont à modifier; en troisième lieu, il s'agit d'apprendre à communiquer avec les autres de façon claire et articulée sans pour cela se sentir menacée et répondre agressivement. C'est donc un apprentissage subtil à effectuer quand on veut changer sa façon de réagir après des années de laisser-faire, de laisser-dire, de *Mater Dolorosa* accusatrice et revendicatrice ou mieux de virago vengeresse. Enfin, nous ne devons pas oublier que, même si l'on parvient à répéter relativement bien un personnage à l'intérieur du groupe, il s'agira par la suite de bien le vivre dans la réalité avec son compagnon, sa famille, ses amis, ses collègues de travail et les personnes nouvelles que l'on rencontre au cours d'une vie.

Une fois le groupe formé, en général de six à huit femmes, et les contacts initiaux entre les participantes établis, chacune commence à se sentir plus à l'aise avec les autres. Le jeu de rôles est mis sur pied à partir de scènes traumatiques vécues auparavant par les participantes, ou de scènes types de la vie de chacune. Ces scènes sont jouées deux par deux, l'une des participantes interprétant la protagoniste et l'autre le répondeur (en général on pense au conjoint ou au chef de bureau) et vice-versa. Chaque participante choisit son rôle et le moment où elle veut commencer. Le travail de la personne-thérapeute, qui le plus souvent intervient avec un ou une co-thérapeute, sera de relever à la fois les attitudes verbales et non-verbales à modifier.

Les premières attitudes qui nous "sautent aux yeux" généralement sont les attitudes non-verbales telles la façon de serrer la main quand on salue quelqu'un, la direction du regard

— presque toujours de côté ou baissé, jamais en face la façon de s'asseoir et de se tenir — tête penchée, dos voûté ou le contraire, cou et dos d'une rigidité toute parkinsonienne, les expressions faciales — très souvent, souffrance, lassitude et dégoût sont reflétés sur le visage de la femme, la tonalité de la voix — une petite voix toute hésitante ou son contraire, une voix tendue et tranchée. (J'ai vu des consultantes murmurer presque lorsqu'elles avaient la parole au sein du groupe ou devenir au contraire verbalement agitées sans qu'on puisse les arrêter) et finalement, le choix de l'instant pour dire ce que l'on a à dire — toujours mal à propos, interruption brusque de l'interlocuteur ou de l'interlocutrice parce que l'on a suivi le cours de sa pensée sans écouter ce que l'autre racontait. Ces différentes instances sont recueillies et renvoyées aux participantes au fur et à mesure qu'elles apparaissent et c'est alors à elles de les modifier au moment opportun au cours des répétitions. Les remarques sont faites autant de fois qu'il est nécessaire.

Quant au contenu des conversations et à la façon de les conduire, les thèmes et les séquences sont laissés au choix des participantes, l'intervention des thérapeute et co-thérapeute ne se faisant que lorsqu'une façon de répondre, et donc de penser, est incompatible avec le respect de soi, l'assurance et la confiance en soi. On relève deux façons très courantes de répondre chez la personne passive: d'une part, l'excuse sans explication et par peur d'en donner parce que l'on se sent coupable sans savoir pourquoi — combien de femmes répètent à longueur de journée "excuse-moi; je ne l'ai pas fait exprès" ou "je suis désolée, ce n'est pas de ma faute" sans aller plus loin dans leurs explications et en attendant une absolution complète de la part de leur partenaire! D'autre part, au moment où l'on s'y attend le moins, l'agressivité accusatrice et revendicatrice surgit, une brusque colère qui, en fait, est le résultat de journées, de semaines ou de mois de frustrations accumulées mais non verbalisées. Bien entendu, une telle attitude incite à la pitié et le ou les protagonistes, pour peu qu'ils ne se sentent pas très sûrs d'eux-mêmes, fuient. Il s'agit donc d'apprendre à s'excuser de façon aussi naturelle que possible et sans se sentir coupable, de donner des explications aussi claires et aussi simples que possible en rendant compte des raisons pour lesquelles on ne peut pas faire telle ou telle chose, aller à tel ou tel endroit ou pourquoi on a commis tel ou tel acte qui peut paraître incongru. Il s'agit en même temps d'apprendre à faire ses propres demandes sans se sentir fautive ou intruse et à écarter celles des autres qui ne nous conviennent pas sans pour cela avoir à se défendre car, et c'est là un autre point important, dire "non" semble assez difficile pour la femme. Il faut savoir dire "non" quand c'est nécessaire, sans attendre que les frustrations et la colère soient si fortes que l'on éclate d'un seul coup; il faut savoir dire "non" sans pour autant offenser les autres, sans essayer de se dérober, en donnant honnêtement les raisons pour lesquelles on ne peut accéder à telle ou telle demande: question de temps, question de promesse à quelqu'un d'autre, question de programme personnel, au lieu d'invoquer un mal de tête subi ou des crampes abdominales auxquels personne ne se laisse plus prendre; il faut savoir dire "non" sans "ronger son frein" et se plaindre de la personne derrière son dos jusqu'au moment où la "goutte fait déborder le vase".

Le secret de l'affirmation de soi c'est de "se sentir bien dans sa peau" mais aussi d'avoir maîtrisé l'art de se faire écouter et d'écouter. Selon nous, la façon la meilleure et la plus simple est de s'exprimer clairement et de s'expliquer de façon sensée, c'est-à-dire logiquement et honnêtement afin d'éviter les interruptions, les commentaires railleurs et les confusions. Savoir écouter, c'est ne pas interrompre l'interlocuteur en plein élan mais saisir l'instant propice pour lui poser les questions appropriées, faire des commentaires sensés et continuer le dialogue; c'est aussi ne pas se laisser aller à ses propres phantasmes en oubliant que l'on a quelqu'un en face de soi.

La plupart des participantes ressentent toujours une certaine timidité à participer au jeu de rôles en groupe[21]. Les attitudes à changer dont nous parlons plus haut peuvent aussi être modifiées d'une façon non systématisée. Au besoin, c'est le fait du groupe que l'on appelle groupe de réflexion.

Le groupe de réflexion

Comme nous l'avons mentionné dans notre premier livre, ce style de groupe est récent et s'inscrit directement dans le nouveau mouvement féministe des années soixante.

Alors que le groupe d'affirmation de soi se veut très pratique — nous travaillons sur un vécu concret, des attitudes, des manières et des expressions verbales —, le groupe de réflexion s'oriente, comme son nom l'indique, vers les échanges d'idées et plus spécifiquement dans notre cas, d'idées sur la condition féminine. Il s'est donc adressé jusqu'à maintenant aux femmes. D'essence purement féministe dans ses origines et dans ses buts, depuis ses débuts aux États-Unis durant la fin des années soixante, ce type de groupe offre aux femmes l'occasion de prendre conscience de leur importance, de leur valeur et de leurs besoins. Elles se sont enfin donné un moyen de pression sociale pour s'encourager à agir et à évoluer.

Comme avec tous les groupes, il faut s'attendre, parmi les dix à douze participantes qui arrivent en général à une première session, à un certain nombre de défections. Je me rappelle avoir organisé un groupe de réflexion pour des femmes qui avaient souffert de problèmes psychologiques sévères et dont quelques-unes avaient dû être hospitalisées. Dix-sept s'étaient inscrites, mais neuf avaient participé aux

---

21. On peut toujours reprendre le jeu de rôle sur une base individuelle, mais cela n'aura pas le même impact qu'en groupe, surtout quand on a pour dessein de combattre sa timidité.

trois mois de rencontre. Nous pouvons en général compter sur une bonne moitié de défections au cours des groupes, tout au moins lorsqu'il s'agit de rencontres organisées dans le cadre des services de santé-mentale. Les raisons de ce fait sont multiples: le manque de motivation, la fatigue mentale, le désespoir, mais surtout une réalité factuelle difficile à modifier. Ces femmes, quelquefois sévèrement traumatisées, doivent retourner dans un milieu qui constitue le plus souvent la cause première de leur déséquilibre psychologique; cela n'est pas en soi très encourageant pour elles.

Parce que les femmes requérant des services spécialisés en santé mentale sont la plupart du temps très ou trop atteintes, leur désir de s'ouvrir à une nouvelle optique de pensée demeure assez confus et leurs nombreux problèmes rendent ce désir encore plus lointain. Il faudra quelques années encore avant que ce style de groupe fasse partie des demandes de nos consultantes et, en conséquence, devienne une routine de travail pour toute thérapeute féministe. Peut-être que dans ces temps futurs le groupe de réflexion ne sera plus nécessaire, les jeunes femmes d'aujourd'hui prenant de plus en plus et de mieux en mieux conscience de leur droits et de leur valeur en tant que personne.

Là où le groupe de réflexion a en ce moment le plus de chance de succès, c'est dans le contexte du Centre de femmes. Les femmes qui fréquentent le Centre se trouvent moins atteintes psychologiquement et plus impliquées socialement, donc plus motivées au niveau de leur rôle de femme-personne, plus fortes aussi au niveau des énergies qu'elles déploient afin d'atteindre une meilleure compréhension de leur situation et d'effectuer des changements durables.

Dans le contexte de la clinique, il faut constamment opérer une remotivation pour conserver le groupe en action. Il faut trouver à chaque rencontre de nouvelles façons de maintenir l'intérêt. Cela peut se faire par le biais des thèmes, un thème étant choisi pour chaque session: par exemple, le thème le plus souvent repris en clinique et à la demande des consultantes est celui des médicaments et de leur influence sur la liberté psychologique. Les femmes psychologiquement très atteintes par des situations sociales et familiales insolubles savent qu'elles doivent prendre des tranquillisants parce qu'elles n'ont plus l'énergie de modifier le *statu quo* dans lequel elles sont maintenues par le système familial ou social. Elles savent aussi que ces mêmes médicaments les empêchent de penser de façon claire. C'est donc un cercle vicieux dans lequel elles sont enfermées: d'une part, besoin du médicament pour être capable de vivre dans un marasme émotionnel mais, d'autre part, impossibilité de changer à cause de ce même médicament qui paralyse la volonté. Un autre thème souvent demandé recouvre le problème du contrôle de soi et les façons d'y parvenir. Certaines consultantes réagissent aux situations stressantes par un sur-contrôle physique et émotif visible dans la rigidité de leurs attitudes et de leurs pensées alors que pour d'autres c'est la panique avec fragmentation et fuite des idées. Pour les unes, il s'agira donc d'apprendre à se "laisser aller", à se détendre, et pour les autres, de s'habituer à réfléchir avant d'agir et de s'abandonner à leurs émotions. Dans les deux cas, un nouvel équilibre pourra être ébauché à travers des exercices de relaxation qui constituent une excellente approche.

Le groupe de relaxation

Dans ma pratique personnelle, j'ai pu observer chez nos consultantes une plus grande rapidité dans l'apprentissage de la relaxation ainsi qu'une plus grande efficacité lorsque cette technique est apprise en groupe, en comparaison avec un apprentissage effectué en sessions individuelles. Nous re-trouvons ici les avantages bien connus du groupe: motivation, *modelling* par les pairs, entraînement, désir de faire aussi bien et aussi vite que les autres.

Comme technique de relaxation, j'utilise avec mes consultantes une technique de détente inspirée de la méthode de Jacobson[22].

IV. Les thérapies complémentaires: la relaxation

Les techniques de relaxation représentent une forme concomitante d'aide aux consultantes; nous les utilisons en conjonction avec ou indépendamment de la thérapie individuelle verbale, de la psychopharmacothérapie et de la thérapie de groupe.

À notre époque, l'accent est mis sur la détente, détente physique et détente psychologique, les deux allant de pair[23] puisque de plus en plus nous développons une sensibilité grandissante au stress de la vie auquel nous voulons échapper dans notre hantise de souffrir. L'être humain a donc été porté récemment à découvrir des moyens pour pallier aux effets, parfois très néfastes, d'une vie difficile sur un organisme, corps et esprit, peu préparé au combat.

Toutes les méthodes psychologiques de relaxation quelles qu'elles soient font appel à la concentration mentale sur les états internes; certaines de ces méthodes sont plus exotiques que d'autres. Par exemple, aux États-Unis, quelques chercheurs en psychophysiologie[24] se sont intéressés aux méthodes extrême-orientales de détente, de méditation et de yoga qui devinrent à la mode dans notre culture au cours des années

---

22. Jacobson, E., *Progressive Relaxation*, Chicago, University of Chicago Press, 1938.
23. Cela est dû comme nous l'expliquerons dans un livre à paraître, aux relations et aux réactions entre le cerveau et le reste du corps par le biais du système nerveux qui opère selon un principe de rétroactivité.
24. Wenger, M.A., Baghi, B.K. et Anand, B.K., *Experiments in India on Voluntary Control of the Heart and the Pulse. Circulation*, 24, 1319-1325, 1961.

soixante durant la grande période des prises de conscience et des remises en question des valeurs occidentales.

Parallèlement à cet intérêt pour les méthodes de relaxation par des moyens naturels, utilisant le contrôle de réponses physiologiques considérées jusque là comme étant indépendantes du contrôle de notre volition, des recherches se poursuivaient sur le conditionnement opérant de ces mêmes réponses autonomes chez les animaux et l'être humain. C'est alors qu'une nouvelle technique appelée rétro-action biologique (*biofeedback*) apparaissait. Cette technique sera perfectionnée vers la fin des années soixante et durant la décade suivante. Elle sera d'ailleurs utilisée avec succès pour traiter un nombre appréciable d'affections causées par des états d'angoisse chronique. Elle servira aussi de technique de relaxation pour toute personne voulant apprendre à se détendre, comme il en sera du yoga et de la méditation de type transcendental ou autre.

Parallèlement aux techniques de yoga, de méditation et de rétroaction biologique, forme de relaxation basées sur une concentration volontaire et active de la pensée sur les états internes, d'autres méthodes seront reprises impliquant, en début d'apprentissage, une concentration sur les états internes qui, bien que toujours volontaire, sera passive car dictée de l'extérieur par quelqu'un d'autre. Ces méthodes, dont l'une est relativement ancienne [25], sont bien connues des Occidentaux et redeviennent de plus en plus à la mode: ce sont l'hypnose, le training autogène de Schultz et la relaxation musculaire progressive de Jacobson.

Avant d'élaborer sur ces différentes méthodes de relaxation, rappelons aux lectrices et aux lecteurs que ces techniques ne sont pas une panacée universelle. Si l'une d'entre elles réussit avec une personne, cela ne veut pas dire qu'elle

---

25. L'hypnose: les principes de l'hypnose moderne furent formulés par Anton Mesmer (1734-1815).

réussira avec une autre. En fait, chacune et chacun doit chercher la technique qui lui convient. Il y a même des gens pour lesquels aucune de ces méthodes ne présente d'intérêt; ces personnes préféreront plutôt faire du jogging ou de la natation ou écouter de la musique. Mais nous parlons là d'une population normale. Les méthodes que nous allons décrire ont principalement été conçues dans des buts thérapeutiques, comme alternatives aux médicaments ou comme thérapie adjuvante pour les personnes souffrant de déséquilibre du système nerveux et présentant donc de sérieuses difficultés à retrouver leur équilibre. Bien entendu, la rétroaction biologique, l'hypnose, le training autogène et la relaxation de Jacobson peuvent être utilisés par toutes les personnes qui s'intéressent à la détente: c'est à chacun d'entre nous de chercher sa méthode favorite pour mieux combattre les effets du stress sur son corps et son esprit.

La technique de la rétroaction biologique[26]

Comme nous l'avons mentionné précédemment, cette technique s'appuie sur un principe identique à celui qui soustend la méthode de relaxation utilisée par les yogis en vue d'obtenir la plénitude mentale et physique. Ce principe démontre la capacité de l'être humain de contrôler volontairement des réponses qui, parmi les réponses physiologiques, avaient été perçues jusqu'à maintenant comme incontrôlables, c'est-à-dire indépendantes de notre volonté et donc uniquement réflexes. Parmi les plus connues, mentionnons les réponses électro-corticales ainsi que les réponses dites "autonomes": rythme cardiaque, température du corps, rythme respiratoire. D'après les observations faites par les psycho-

---

26. Les personnes intéressées à cette technique moderne et fascinante et désireuses de se mettre au courant des dernières recherches et de leurs résultats dans ce domaine pourront consulter la série de livres intitulée *Biofeedback and Self-Control* publiée chaque année par Aldine-Atherton, Chicago.

physiologues, si l'individu est capable de réduire d'une façon ou d'une autre son rythme cardiaque et respiratoire, de changer la température de sa peau ou d'induire un rythme *alpha* ou *thêta* [27] en remplacement du rythme *bêta* typique de l'éveil, il se met en état de repos. Les yogis, par concentration sur un *mantra* [28] couplé avec des postures yogiques de détente, parviennent de façon naturelle et après plusieurs années de pratique à réduire considérablement leurs réponses physiologiques [29]. Pour obtenir les mêmes résultats et dans des buts thérapeutiques, une méthode particulière appelée rétroaction biologique a été conçue aux États-Unis.

En quoi consiste cette méthode? Pour parvenir aux mêmes effets et au même but que les yogis et au lieu de passer des années à apprendre à maîtriser les réponses autonomiques de façon naturelle, on utilise un appareil spécial qui permet au sujet d'apprendre plus rapidement à contrôler ces mêmes réponses.

L'appareillage de rétroaction biologique comprend deux parties: un appareil enregistreur des réponses à modifier — rythme cardiaque, rythme respiratoire, température de la peau, ondes cérébrales — et un appareil qui donne au sujet les réponses enregistrées (*feed-back*), mais pas sous leur forme originale. Il retransmet au sujet qui, par exemple, veut apprendre à réduire son rythme cardiaque, non pas les battements eux-mêmes mais un signal soit visuel soit auditif de la détérioration si celle-ci a lieu effectivement; par exemple, ce signal est donné à chaque fois que le sujet est capable de

---

27. Rythmes *alpha* et *thêta*: ondes corticales typiques d'une personne en état de méditation ou de pré-sommeil; les ondes *alpha* précèdent les ondes *thêta*, plus longues, dans l'établissement du *pattern* soit de relaxation profonde ou d'endormissement au niveau cortical.

28. *Mantra*: mot sans signification logique qui, par son utilisation répétitive en pensée finira par induire un état de plénitude mentale.

29. Wender, M.A. et Baghi, B.K. (*op. cit.*) mentionnent un yogi capable de réduire son rythme cardiaque à vingt battements par minute, la moyenne normale étant de quatre-vingt!

diminuer son rythme en moyenne de deux battements à la minute et de le maintenir à ce nombre. L'apprentissage se poursuit jusqu'à ce que le sujet atteigne le nombre de battements à la minute auquel il veut parvenir. Il est évident que le signal servant de renseignement sur la performance désirée agit en même temps comme un encouragement pour le sujet, ce qui rend l'apprentissage plus facile et plus intéressant.

Le but de l'apprentissage à l'aide de la rétroaction biologique est de permettre le développement du contrôle des réponses physiologiques en traduisant en un signal compréhensible la performance que l'on veut atteindre — que ce soit la décélération du rythme cardiaque ou respiratoire, celle des ondes corticales ou la baisse de la température cutanée. Quels sont les résultats et les applications de cette méthode dans le domaine de la santé?

En l'espace de quelques heures d'apprentissage, on peut apprendre à produire un rythme *alpha* et *thêta* caractéristiques de l'état de relaxation mentale, de méditation ou de pré-endormissement, on peut réduire son rythme respiratoire et décélérer son rythme cardiaque, on peut aussi régler la température de sa peau bien que, dans ce dernier cas, les résultats soient un peu plus difficiles à obtenir. Parallèlement à son usage comme technique de relaxation chez l'individu normal, la rétroaction biologique se révèle utile et efficace dans le traitement des céphalées, en particulier les migraines[30], et des arythmies cardiaques, ces différentes affections résultant le plus souvent d'un très haut niveau d'angoisse. Des résultats appréciables sont aussi obtenus dans les cas d'épilepsie. Hélas, cette méthode nécessite un investissement très important dans l'achat de l'appareillage électronique et toutes les cliniques de santé mentale ne peuvent se permettre de telles dépenses. D'autres méthodes orthodoxes, moins chères et ne nécessitant pas de machines compliquées sont à la portée de

---

30. Les céphalées se divisent en céphalées de tension, d'origine musculaire et en migraines, céphalées d'origine vasculaire.

tout le monde: ce sont l'hypnose, le training autogène et la technique de relaxation de Jacobson.

L'hypnose

Tout comme le mal[31] auquel cette technique fut appliquée de préférence à d'autres au cours de la période de grande effervescence psychiatrique que fut le dix-neuvième siècle, l'hypnose fut mal jugée et plutôt perçue comme une imposture dans le domaine de la psychologie scientifique, en particulier durant la première moitié du vingtième siècle.

Or l'hypnose n'est pas un faux traitement; ses résultats sont appréciables. On l'utilise avec succès comme technique de détente. Elle peut donc être utile dans le contrôle de l'angoisse; elle sert aussi lorsque l'on veut retourner aux sources des conflits pour soulager la douleur ou contrôler des habitudes nocives telles que la boulimie et l'excès de tabac. Si l'on veut essayer cette méthode, le problème est de trouver un hypnotiseur diplômé et certifié et non un charlatan, tout en gardant en mémoire que, comme dans toute thérapie, tout le monde n'est pas un bon candidat. Le type idéal se recrute parmi les personnes réceptives, à l'esprit plutôt malléable, ne se sentant pas menacées à l'idée de se soumettre à la volonté d'un professionnel, donc qui auront une absolue confiance dans les capacités de ce dernier.

L'hypnose fait essentiellement appel à la suggestion, l'hypnotisée se plaçant sous l'influence de l'hypnotiseur. Avant de procéder, on teste d'abord le degré de suggestibilité du sujet. Pour mesurer le degré de suggestibilité, on donne des commandements et on voit si la personne obéit sans opposer de résistance. Par exemple, nous lui demandons de fermer les yeux et de lever le bras gauche en maintenant ce dernier à la hauteur de son épaule; puis, toujours d'une voix monocorde, nous lui demandons d'imaginer qu'un poids, par exemple un

---

31. Nous nous référons à l'hystérie.

dictionnaire, est posé sur sa main gauche en extension alors qu'un ballon d'hélium se trouve attaché au pouce droit; nous suggérons la lourdeur du dictionnaire sur la main gauche et la légèreté de la main droite à plusieurs reprises. Si le sujet répond bien à la suggestion, au fur et à mesure de l'induction hypnotique son bras gauche retournera à sa position normale le long du corps tandis que son bras droit sera levé au moins à la hauteur de l'épaule.

Une fois le niveau de suggestibilité testé, on procède à l'hypnose. Nous ne décrirons que ce qui se passe dans le cas de l'hypno-relaxation. On demande au sujet de s'installer le plus confortablement possible en position assise ou allongée, comme il préfère, et de fermer les yeux, puis on donne des ordres d'une voix monocorde. Ces ordres concernent la détente du corps, principalement de toutes les parties qui sont de façon quasi générale les plus affectées par la tension nerveuse, en particulier les muscles faciaux. Nous demandons alors le relâchement des muscles des mâchoires et des paupières; la même demande est réitirée pour les muscles du scalp, ceux du cou, des bras, de la cage thoracique, de l'abdomen et des jambes. À la fin de la séance d'hypno-relaxation, et si nous avons réussi, le sujet se trouve dans un état de détente complète. Rappelons que l'hypno-relaxation peut servir d'introduction à l'hypnose proprement dite afin de mettre l'hypnotisée dans les meilleurs conditions possibles d'écoute pour les futures instructions.

La relaxation progressive de Jacobson

Comme toute technique de relaxation, le but de cette méthode particulière est de parvenir à un état de détente complet, à la fois physique et mental, l'esprit reposé et clair, une certaine distance étant prise entre soi et ses problèmes.

Durant la première rencontre, on explique les différentes phases de la technique. Il y en a trois. La première phase est la plus longue à maîtriser parce qu'elle fait oeuvre d'initiation aux sensations corporelles qui la plupart du temps sont inconnues des gens[32]. Elle se compose d'une série d'exercices physiques de tension musculaire alternant avec des périodes de détente. Comme la détente suivant la tension entraîne des sensations d'échauffement et de lourdeur produites par le relâchement des muscles après l'effort, cette première phase permet aux participantes d'identifier leur état de tension, leur état de relaxation et les différentes composantes de ces états. On procède étape par étape dans l'alternance des exercices de tension et de relâchement en commençant par les mains, puis les bras, ensuite les muscles faciaux, le cou, la cage thoracique, l'abdomen pour finir avec les jambes. Après avoir appris la détente du corps dans sa totalité, on entreprend la seconde phase, une série d'exercices mentaux durant lesquels on reprend la détente corporelle, étape par étape, comme précédemment, mais uniquement de mémoire et par concentration. Une fois cette seconde partie maîtrisée, on suggère, en phase finale, une détente totale sur simple commande. Cela représente le test de succès pour les deux phases précédentes.

Une fois que l'on a donné un aperçu des sessions en général — une dizaine de rencontres suffit pour apprendre à maîtriser cette technique —, on procède avec les exercices. Notons que le choix de la pièce où l'on va enseigner la relaxation est capital pour des personnes qui n'ont jamais su se détendre: on recommande une pièce aux couleurs neutres où la luminosité est aussi faible que possible, mais pas d'obscurité et aucun bruit; de plus, les instructions sont données d'une voix claire mais monocorde, sans inflexion aucune.

---

32. Je demeure d'ailleurs toujours très étonnée de voir le nombre de personnes qui ne savent pas identifier les signaux de tension nerveuse et musculaire donnés par leur corps. Ces personnes donnent l'impression de vivre à côté de leur corps, comme si ce dernier ne leur appartenait pas; elles n'ont aucune idée que ce même corps est un système vivant qui exprime à sa façon la fatigue nerveuse qui s'y accumule.

Ces différents points sont à observer strictement pour faciliter une meilleure concentration des participantes sur leurs sensations internes et leur éviter le plus possible les distractions et les stimulations externes en provenance de l'environnement. N'oublions pas que ces personnes ont déjà beaucoup de problèmes et qu'elles sont plus angoissées que la normale; leur niveau de distraction sera donc élevé. Comme d'autre part elles ne se sont jamais penchées sur elles-mêmes, aussi bien au niveau psychologique que physique, elles auront a priori des difficultés à exercer ce regard vers l'intérieur et à percevoir leurs sensations internes; c'est pourquoi il faudra maintenir au minimum les stimulations provenant de l'extérieur.

Pour leur faciliter ce retour sur soi et l'écoute de ce qui se passe à l'intérieur de leur corps, on fera allonger les participantes dans une position confortable: si l'une préfère avoir un coussin sous la nuque, sous le dos ou sous les pieds, on s'arrangera pour le lui procurer. Finalement, avant de commencer les instructions, on leur demande de fermer les yeux, les yeux clos incitant à la concentration. Une fois qu'elles ont pris une position confortable, on procède aux exercices de tension et de relâchement avec des instructions données verbalement. On commence par les mains puis les bras, les muscles du visage, la cage thoracique et l'abdomen, pour finir par les jambes. On insiste sur une forte tension suivie d'un relâchement aussi spontané que possible de cette même tension, en se concentrant sur les sensations d'échauffement et de lourdeur qui apparaissent au niveau des différents groupes de muscles sur lesquels on travaille. L'effet attendu une fois cette première partie maîtrisée est un relâchement total de la musculature accompagné d'une impression de bien-être psychologique.

Durant la seconde phase, les participantes apprennent à se détendre uniquement par concentration mentale en se remémorant les sensations de bien-être éprouvées après les exercices de tension effectués pendant la première phase. Il s'agit donc de développer une certaine aptitude à fixer son attention sur ses états internes et à faire le vide de la pensée pour être capable de se détendre de façon naturelle, par le seul exercice de la volonté. Cette concentration mentale se fait étape par étape, c'est-à-dire en commençant par la détente des mains et des bras, en continuant par celle des muscles faciaux puis des muscles thoraciques et abdominaux pour finir par les jambes.

Lorsque les participantes sont parvenues à maîtriser cette phase de détente complète, on passe à une troisième phase qui testera la réussite des deux phases précédentes. À ce stade d'apprentissage, on demande aux participantes de parvenir à un état de relaxation générale sur simple commande. On compte de dix à zéro en annonçant: "je vais compter de dix à zéro — à zéro vous serez complètement détendue". On attend ensuite quelques secondes puis on dit: "dix: vous ressentez une impression de lourdeur dans vos bras" etc. jusqu'à un: "vos jambes sont devenues pesantes" puis zéro: "vous êtes totalement détendue".

De façon évidente, cette méthode, qui est efficace d'après mon expérience, repose sur la suggestion dans l'apprentissage et fait appel en même temps à une bonne concentration ainsi qu'à une bonne capacité à reconnaître et identifier les sensations corporelles. Il est impossible de se détendre si l'on ne sait pas au préalable que l'on est nerveusement tendu, afin de pouvoir par la suite opérer un relâchement général de la musculature!

Le but recherché est d'être capable, dès que l'on se perçoit comme étant prise dans un état fébrile ou comme paralysée, de parvenir à une détente musculaire complète — que l'on soit devant un auditoire, dans le métro, au volant d'une voiture ou à prendre le thé au salon avec des amies. Utilisée pour combattre l'anxiété naissante dans ses composantes physiques, la méthode de détente musculaire ne constitue cependant qu'un exemple parmi un nombre grandissant de ces méthodes de relaxation devenues très en vogue depuis une dizaine d'années.

Le training autogène de Schultz [33]

Cette technique s'apparente à la fois à la relaxation de Jacobson et à l'hypnose sur plusieurs points.

De la relaxation progressive, elle garde l'aspect séquentiel de concentration passive sur les différentes parties du corps, les bras, la tête, le cou, la cage thoracique, l'abdomen et les jambes, ainsi que sur les sensations de lourdeur et de chaleur, une fois ces différentes parties du corps mises au repos. De même, on insiste sur la régulation cardiaque, la respiration lente et profonde alors qu'en fin de training on fait noter au sujet la chaleur qui irradie au niveau de l'abdomen tandis qu'une sensation de fraîcheur est ressentie au niveau du front. Une fois ces différentes séquences maîtrisées — cela prend plusieurs semaines et beaucoup de répétitions — la personne doit être capable de se détendre totalement en quelques instants.

Comme l'hypnose, cette technique fait aussi appel à la suggestion. Durant les exercices, la personne-thérapeute répète à plusieurs reprises des phrases standards, du type: "mon bras droit est lourd". Cela a pour but d'entraîner un effet psychologique d'apaisement par une suggestion de type hypnotique. La différence majeure entre le training autogène et la relaxation progressive se situe dans l'absence d'alternance entre exercices de tension et de détente dans le cas du training autogène. Le training débute toujours par une mise en état sub-hypnotique. Il peut donc être considéré comme une variante de l'hypno-relaxation.

Pour terminer ce chapitre sur les méthodes corollaires en thérapie, nous donnerons notre position personnelle. Pour

---

33. *Autogenic Training* de Johannes H. Schultz et Wolfang Luthe, Grune et Stratton, 1959.

pallier à ses propres sensations d'angoisse face au stress et éviter les ulcères, l'hypertension ou d'autres malaises psycho-somatiques, on peut toujours inventer sa propre méthode de détente. Si l'on préfère la détente statique, on utilisera une combinaison de toutes les méthodes précédentes en prenant ce qu'elles ont de mieux pour soi: par exemple, s'allonger les yeux fermés, laisser le corps se détendre tout seul et le sentir devenir lourd progressivement, se concentrer sur une image plaisante, du genre "étendue sur le sable chaud, avec des palmiers derrière soi et la mer devant", prendre de grandes respirations profondes pour finir par ne plus penser aux soucis et aux peines , le corps et l'esprit complètement détendus. Si l'on préfère la détente active, il y a beaucoup de façons d'y parvenir: la natation, le jogging, le tennis, etc.

Que faut-il retenir de toutes les approches thérapeutiques décrites ci-dessus?

Les buts recherchés sont multiples: une meilleure compréhension de soi et des autres, une meilleure connaissance de ses propres manifestations psychologiques, une meilleure écoute de son corps dans les signaux de détresse qu'il nous envoie, que ce soit un mal de tête, des tremblements ou un rythme cardiaque accéléré, l'atténuation de ces signaux, une meilleure prise de conscience de la fragilité des relations interpersonnelles dans le contexte plus global des systèmes historico-socio-politico-psycho-physiologiques, le but ultime étant que *l'ensemble compréhension, connaissance et prise de conscience soit organisé en vue d'une harmonisation des relations interpersonnelles et d'un mieux-être pour soi.*

Le Centre des femmes: la resocialisation par les rencontres

Comme nous l'avons déjà mentionné dans un précédent ouvrage [34], l'idée de créer des centres de femmes dans les com-

---

34. Brunet, Dominique, *op. cit.*

munautés vient des États-Unis suite à la résurgence du mouvement féministe au cours des années soixante. J'appelle ce mouvement néo-féministe car, à la différence des précédents mouvements féministes, il apporte une nouvelle dimension, celle d'une prise de conscience sociale *générale* à toutes les couches de la société, des plus privilégiées aux plus défavorisées, selon laquelle la femme est une *personne* au même titre que l'homme: adulte, être pensant, épouse et mère. Elle assume les mêmes responsabilités et elle a donc les mêmes droits de par la loi: autorité civile traduisant sa capacité de faire ce qu'elle veut même une fois mariée et autorité parentale traduisant la capacité qu'elle a d'exercer son droit de parent sur ses enfants au même titre que son mari. Être humain et femme, elle assume sa sexualité comme elle l'entend, dispose de son corps et choisit ses partenaires sexuels comme elle le désire. On commence à lui reconnaître un potentiel, des qualités et des capacités comparables à celles de l'homme.

Puisqu'il se produit un éveil général de la femme à sa condition de personne et qu'une réflexion sur la condition féminine s'élabore, les femmes prennent l'initiative de se regrouper pour échanger, discuter et instaurer des changements autour d'elles. Cela est un phénomène tout à fait naturel dans la formation des groupes politisés, les individus ayant des intérêts communs à défendre se regroupant ensemble pour avoir plus d'impact dans leurs requêtes. Les femmes commencent donc par se réunir entre elles, et les unes chez les autres. Des regroupements plus larges s'organisent et donnent naissance à de grands mouvements dont certains sont devenus très célèbres: le NOW[35] par exemple aux

---

35. N.O.W.: "National Organization of Women", mouvement féministe américain créé dans le courant des années soixante par les femmes des classes moyennes ayant réalisé les inégalités existant entre elles et les hommes au niveau des avantages professionnels en particulier. Leur action politique se reflétera au niveau des changements apportés à la constitution en particulier sur la parité salariale.

États-Unis. Ces mouvements d'action politico-sociale permettront la création de Centres de femmes, lieux de rencontre officiels où celles-ci vont pouvoir se réunir, se renseigner et s'entre-aider.

Que représente le Centre de femmes?

Comme nous venons de le dire, le centre est un lieu où les femmes peuvent se rencontrer, échanger des idées, se faire des amies, se distraire en participant aux activités qui y sont organisées et s'informer de leurs droits en recevant des conseils sur une base individuelle ou en groupe.

Lieu de rencontre et d'informations, un centre de femmes offre de multiples activités: des activités éducatrices et des activités pratiques.

Dans les activités éducatrices, des groupes d'information et de discussion, des groupes de réflexion et des cours pratiques sont offerts. Dans les groupes d'information, les questions les plus souvent traitées sont par exemple la retraite, la déclaration d'impôt, l'aide juridique, les droits sociaux de la femme, la contraception; dans les groupes de discussion, ce sont plus particulièrement des thèmes comme la santé mentale chez les femmes, la publicité et les medias, le système d'éducation pour les filles, le viol, l'inceste, l'avortement, comment vivre seule avec ses enfants, la séparation et le divorce, la ménopause, les femmes battues. Lorsque les questions se font plus personnelles, des groupes orientés vers une réflexion plus intime s'organisent; les thèmes en sont nombreux: apprendre à connaître son corps, bien vivre avec soi-même, femme et solitude, beauté et vieillesse, comment se sentir femme. Parmi les cours les plus en demande, on note la nutrition, le *self-defense*, la relaxation et l'affirmation de soi.

En ce qui concerne les activités pratiques, nous avons remarqué l'écriture de recueils collectifs de poèmes et de pensées ainsi que l'organisation de repas communautaires et de sorties en petits groupes.

Grâce à cet ensemble d'activités multiples, des résultats appréciables sont obtenus. Les femmes apprennent à mieux se connaître entre elles, à s'entraider, à se comprendre, mais surtout à mieux se débrouiller dans leurs affaires une fois qu'elles ont appris à reconnaître leurs droits comme personne et à "frapper à la bonne porte" lorsqu'elles ont des ennuis de quelque nature que ce soit. Dans un même temps, le Centre représente aussi une sortie pour se changer les idées, s'ouvrir au monde et se faire des nouvelles amies que l'on pourra revoir en dehors du Centre.

Nous considérons donc le Centre de femmes comme un heureux complément très utile dans le travail de thérapie individuelle, en particulier lorsque l'on a affaire à des femmes déprimées qui ne savent pas quoi faire d'elles-mêmes et qui ne font preuve d'aucune initiative. Comme la motivation représente le problème majeur auquel toute personne-thérapeute doit faire face, le Centre représente un facteur supplémentaire de motivation car il permet aux femmes une participation active à une variété appréciable de programmes, ce qui ne pourra qu'aider à susciter leur intérêt. À propos de motivation, je voudrais ajouter que la grande partie du travail de psychothérapie consiste à *éveiller* l'intérêt chez les consultantes[36], à les *inciter* à réfléchir et à ouvrir les yeux, à *susciter* un éveil mental. Le reste du travail, c'est-à-dire la maturation des idées et le cheminement dans la réflexion s'opèrent de façon naturelle avec le temps, et entraînent les modifications du comportement et l'évolution attendues dans la forme de pensée de la consultante. Remarquons cependant que chez les personnes qui présentent une trop grande fragilité psychologique, une thérapie basée sur l'examen des idées et des sentiments est à déconseiller lorsque le niveau d'angoisse est trop élevé car ce processus d'introspection entraînera une

---

36. Le même phénomène se passe avec les consultants.

fragmentation de la pensée, ce qui aura pour but de consolider les mécanismes psychopathologiques préexistants.

En psychothérapie, il s'agit donc d'abord et avant tout de motiver les consultantes, c'est-à-dire de susciter leur intérêt et de les faire réfléchir sur leur condition. Comment accomplir ce travail de motivation? C'est ce que nous allons voir dans le dernier chapitre en parlant des rôles de la personne-thérapeute.

Troisième partie
La personne-thérapeute:
son rôle

Lorsqu'une consultante vient à la clinique parce qu'elle a décidé de changer et qu'elle indique son intention de tout essayer pour se sentir mieux, le travail de thérapie se trouve accompli aux trois quarts puisque cette personne est prête mentalement à "faire quelque chose". Par contre, quand une consultante vient avec l'idée que son malaise psychologique est d'origine organique et qu'il lui faut absolument des pilules "pour guérir", il y a peu de succès à attendre autant d'une psychothérapie verbale — elle la refuse inconsciemment même lorsqu'on lui suggère que ce serait la façon la plus efficace de se sortir de ses problèmes — que d'une psychopharmacothérapie, puisque les médicaments n'entraînent pas de "guérison" mais simplement un soulagement temporaire de l'angoisse, les problèmes restant les mêmes.

Quelles sont donc les différentes tâches de la personne-thérapeute?

L'art d'écouter et de comprendre

Dans toute thérapie, la tâche majeure, et qui se révèle en même temps être un art, c'est de savoir écouter et comprendre ce qui est dit car la demande explicite que présente toute consultante venant au Centre est précisément celle d'*être écoutée et comprise.*

Écouter, en soi, paraît simple; c'est un acte passif qui ne semble pas requérir beaucoup d'énergie de la part de celle ou de celui qui écoute. Mais, s'il est simple de recevoir des informations, il est plus difficile de les décoder de façon appropriée pour les redistribuer par la suite: c'est là la pierre angulaire de toute thérapie. Le décodage des messages qui lui sont envoyés doit être fait de façon claire, simple, objective — il doit tenir compte de l'histoire de la consultante et de son milieu. N'oublions pas que cette personne vient en consultation parce qu'elle ne sait pas ce qu'elle a. Elle veut donc des solutions à sa confusion et à son tourment. Et parce qu'elle est fragile mentalement, il s'agira aussi de savoir à quel moment redistribuer les informations à son sujet et donc de choisir l'instant opportun.

Ce processus de transformation et de redistribution des informations données par la consultante a lieu au moment où l'on écoute. Rien d'extraordinaire jusqu'ici, car c'est ce que l'on a l'habitude de pratiquer dans la vie courante: réception des messages, décodage et redistribution selon la façon dont on les a compris. Dans le cas d'une psychothérapie, le problème est un peu différent puisqu'il s'agit de traiter, c'est-à-dire de réparer quelque chose de défectueux, en l'occurrence la pensée, et nous avons affaire à des interlocutrices d'un caractère particulier, des femmes meurtries par l'existence et portées à être plus facilement blessées que d'autres par des paroles inconsidérées et irréfléchies. Il faudra donc réfléchir à deux fois à ce que l'on va dire et faite très attention de ne pas provoquer plus de dommages qu'il n'y en a déjà par un manque d'attention, des interprétations hâtives, brutales ou subjectives, un verbiage inutile ou son contraire, une passivité frisant l'impolitesse et le manque de considération [1]. D'autre part, et c'est là un autre point capital dans une thérapie verbale, le décodage des messages sera fait non pas en fonction de ce que l'on pense soi-même et de ce que l'on vit soi-même, mais en fonction des expériences de vie et de l'histoire de la consultante. Le ou la thérapeute se doit donc de garder son

---

1. Beaucoup de consultantes parmi celles que j'ai rencontrées se plaignent de la passivité outrageante qu'elles considèrent comme un manque de politesse et un signe d'incompétence de la part de certains professionnels lorsqu'ils passent le temps de la psychothérapie à être assis dans leur fauteuil sans rien dire, du début à la fin de la consultation.

objectivité; voilà qui différencie son travail de l'aide que peut apporter une voisine par exemple, un membre de la famille ou une autre personne non spécialisée dans l'étude des processus psychologiques. Nous reviendrons un peu plus loin à cette question de l'objectivité.

Le problème auquel nous faisons face en écoutant est double: comprendre à travers l'ambiguïté des paroles prononcées et demeurer non sélective au sujet de ce qui est dit.

Tout d'abord, la clarté de ce que rapporte la consultante n'est pas toujours évidente, d'ailleurs n'est-ce pas pour cela qu'elle vient en thérapie! Elle se sent confuse, ne sait pas où elle en est, ne comprend plus rien à ce qui se passe. Ses idées sont embrouillées, ses sentiments contradictoires; elle nage dans les contraires, l'ambiguïté, l'opposition, l'ambivalence. Elle veut savoir, elle veut comprendre, se comprendre et être comprise, ne plus vivre dans l'angoisse, ne plus se sentir déprimée. Il revient alors à la personne-thérapeute, — c'est l'essence de sa profession, d'apporter les éclaircissements nécessaires, d'éliminer les confusions et de rapprocher les contraires en retrouvant la logique dans le déroulement des idées perçues comme contradictoires, en expliquant les raisons sous-jacentes de comportements considérés comme incompatibles avec ce que l'on pense et donc, en apparence, insensés.

Premier problème à résoudre: comprendre ce que la consultante dit *en fonction de son contexte socio-culturel et de ses expériences de vie à elle*. Il s'agira, au cours des sessions, d'écouter la consultante décrire sa vie, les événements heureux et malheureux qui l'ont marquée, la façon dont elle les a ressentis et vécus, ce qui s'ensuit, ses colères, ses regrets, ses frustrations, ses relations affectives avec ses parents, sa famille, en bref, tous les éléments de sa vie qui ont contribué à son développement, et à sa façon de réagir aux événements et aux gens.

Dans le provessus thérapeutique, l'écoute est une phase capitale. C'est savoir quand se taire et quand donner des interprétations ou opérer des reflets; c'est savoir écouter, de façon aussi objective que possible; c'est essayer de comprendre les données apportées par la consultante tout en faisant que l'appréhension de ces données soit non sélective. Il ne s'agit pas de choisir ou de reprendre les parties de conversation qui nous plaisent mais celles qui sont capitales pour la consultante dans ses prises de conscience. La personne-thérapeute doit donc faire abstraction de ses préférences et apprendre à ne pas pratiquer ce qu'en général nous faisons tous dans une conversation courante, c'est-à-dire, l'attention sélective. Au contraire, elle doit fournir une attention soutenue, indépendamment de ce qu'elle pense.

En second lieu, elle doit enregistrer mentalement ce qui lui est dit non pas en fonction de ses idées à elle, mais en *se mettant à la place de* la consultante, ce qui n'est pas trop difficile en général parce qu'il y a beaucoup de similarités dans les façons de penser et de percevoir le monde chez les êtres humains. Des principes de base universels peuvent être isolés et, en particulier, pour nous autres femmes, la tâche se révélera encore plus simple car, de quelque milieu que nous sortions, la façon dont nous sommes traitées est quasiment toujours la même, et nos réactions sont identiques en bien des points! Par exemple, parce qu'on a été mal aimée et mal comprise, on devient méchante, amère, agressive, frustrée, jalouse; parce qu'on a perdu la personne aimée, on perd goût à la vie, on se referme, on se replie sur soi, on végète; parce qu'on n'a pas reçu d'encouragements lorsqu'on était enfant mais qu'au contraire on a toujours été blâmée, on devient timide, peureuse, on se sent bonne à rien, on pense que les autres nous veulent du mal et qu'ils ne nous aiment pas.

Écouter de façon objective et non sélective permet de comprendre ce qui se passe et de réorganiser les différentes parties du casse-tête psychologique, car c'est un véritable casse-tête que la consultante nous apporte. Elle nous propose des morceaux tout éparpillés qu'il s'agira de remettre ensemble afin de leur donner un sens et une structure, tout cela pour qu'elle finisse par se comprendre, par remettre de l'ordre dans sa vie, pour qu'elle parvienne à saisir la portée de ses actes en ce qui la concerne et en ce qui concerne les autres pour qu'elle améliore ses conditions d'existence et qu'elle atteigne enfin le mieux-être tant souhaité!

L'éducation

Après l'*écoute active et soutenue* et une fois les éléments de vie recueillis, on passe à une seconde phase elle aussi très importante dans le travail de la personne-thérapeute, celle d'une redistribution, de façon aussi *claire* et *objective* que possible, des données fournies par la consultante, mais cette fois-ci sous une forme analysée et structurée. Tout comme l'écoute, cette phase de redistribution des données présente le même problème de clarté et de maintien d'une distance objective, car c'est en redonnant des informations claires et objectives à la consultante sur sa façon de penser et d'agir que celle-ci pourra mieux résoudre ses problèmes psychologiques.

Ainsi, la consultante se place parfois comme une élève, élève à l'école de la vie psychique, et la thérapeute prend le rôle de l'éducatrice: éducatrice dans l'art de mieux-vivre pour atteindre un certain niveau d'harmonie avec soi-même et avec les autres.

Prendre conscience, c'est se comprendre soi-même par l'analyse des idées, qui s'enchaînent les unes aux autres en puisant leurs racines dans notre culture, dans notre histoire, dans nos expériences passées, les bonnes comme les mauvaises. Les effets provoqués par cette réflexion à peine commencée sur soi-même sont surprenants dans leur confusion. Les questions habituelles surgissent: "que penser", "que faire", "je ne comprends pas ce qui m'arrive", "c'est incroyable". La seconde tâche de la personne-thérapeute, après l'écoute, sera donc de démêler avec la consultante tout cet écheveau d'idées, de comportements, de paroles qui ont fait jaillir les émotions les plus diverses, les plus contradictoires: haine, violence, colère, ressentiment, jalousie, joie, bonheur, plaisir ou félicité, émotions qui provoqueront les actes les plus étranges, les moins réfléchis, les plus inconsidérés: séparations, départs, réunions, vengeances.

Pour aider la consultante à opérer ses prises de conscience, il existe plusieurs façons de redistribuer les informations, principalement les clarifications-analyses et les reflets. Remarquons que cette remise en ordre des idées ne se fait pas, comme la plupart des gens le pensent, en donnant son opinion: le "je pense que vous devriez faire ceci ou cela, ce serait mieux pour vous". Cette approche serait l'équivalent d'un choix fait pour la consultante et à sa place, comme le pratique une amie, une voisine ou la famille.

Professionnelle ayant maîtrisé l'art de son métier de thérapeute, se devant donc de demeurer objective, compréhensive et raisonnable dans l'utilisation de sa logique et de sa connaissance de la nature humaine, la personne-thérapeute ne donne pas son opinion; elle utilise plutôt et de façon préférentielle l'analyse et le reflet. Elle se place donc tour à tour, selon le moment et le type de réflexion chez la consultante, comme analyste et miroir de l'autre. Dans ce rôle d'éducatrice à la connaissance de soi, elle apporte en même temps un soutien, mais toujours sans s'arroger le pouvoir de décider à la place de l'autre, ce genre d'attitude étant anti-thérapeutique surtout envers quelqu'un qui est à la recherche de sa propre identité!

Miroir de l'autre, la personne-thérapeute utilise le reflet dans ses entretiens. Elle incite la consultante à l'auto-réflexion, à la reprise des idées qui viennent d'être formulées, à la révision des sentiments: l'objectivation, en un mot, de ce que la consultante vient de mentionner sans y prêter trop d'attention. En reprenant avec la consultante une phrase-clef, un mot-clef pour la compréhension de sa dynamique psychologique, nous lui permettons ainsi de prendre conscience du mal qu'elle se fait ou de l'impact catastrophique des actions d'autrui sur sa propre psyché.

Donnons un exemple: une consultante reproche très souvent à son père, au cours des sessions, de les avoir abandonnées, elle et ses soeurs, lorsqu'elle était adolescente. En parlant de "la terrible fin de semaine passée chez son père", elle lance sans le réaliser "qu'elle n'a plus envie de voir ce père tant détesté alors qu'il semble prêt à se rapprocher d'elle" — morceau de phrase important à relever. Pourquoi? Le problème majeur chez cette jeune femme tourne autour des abandons consécutifs qu'elle a subis enfant, adolescente et jeune fille: à huit ans, elle perd sa mère; à neuf ans, son père se remarie et ignore ses enfants; à dix-neuf ans, son mari la laisse avec un bébé et disparaît. Elle n'a pu surmonter ni la mort de sa mère ni le départ de son mari, ce double abandon ayant été hors de son contrôle; quant au père, il était toujours demeuré distant à une époque où elle avait besoin de son soutien. Maintenant qu'elle a enfin trouvé le bonheur avec son second mari, son père essaie de se rapprocher d'elle. Il lui fournit l'occasion unique de décider à son tour si elle veut de son amour ou pas. Elle fera d'ailleurs la même chose avec son mari: façon de tester, mais aussi petite revanche — rien de plus courant chez l'être humain. Nous lui répétons la phrase-clef mot par mot: "Vous dites que votre père vous incite à venir souvent mais que vous ne voulez plus le voir" — reflet — temps d'arrêt de la part de la consultante — prise de conscience — "Oui, c'est le passé. Mon père est marié et moi j'ai ma famille. Maintenant, j'aime mon mari et je vois mon père tel qu'il est. Il nous a fait beaucoup souffrir. Il n'était jamais là. C'est à moi de décider si je veux le voir ou pas." Vient alors le moment de se laisser aller à la colère et au ressentiment, de résoudre les vieux conflits, de se défaire des vieilles rancunes. Le passé est repris tel qu'il a existé: le père aussi avait ses propres problèmes. Le présent, la réalité commencent à être vécus comme tels: elle laisse son père à sa nouvelle épouse tandis qu'il reprend sa place dans le passé, mais un passé moins chargé d'émotions négatives. Pour le présent: "Je n'ai pas envie de le voir" s'avoue-t-elle à elle-même: sentiment clair et sans équivoque. La consultante se sent détendue après cette réflexion. Au cours des entrevues suivantes, nous verrons la colère, les regrets et l'amertume s'effacer pour être remplacés par un meilleur entendement du passé et des sentiments plus chaleureux vis-à-vis de la figure paternelle.

Analyste, la personne-thérapeute interprète non pas en fonction de ses propres schèmes de pensée mais en fonction de l'histoire de la consultante et de son milieu socioculturel. Dans l'exemple mentionné, étant donné ses sentiments passés vis-à-vis des abandons majeurs et une fois qu'elle eut découvert l'amour qu'elle portait à son mari et combien lui aussi l'aimait, la consultante s'est enfin sentie capable de briser le lien qui existait, pour elle dans ses phantasmes entre elle et son père, lien qui n'existait donc pas dans la réalité mais qu'elle maintenait par besoin de sécurité affective. La consultante se sent donc rassurée maintenant: elle n'a plus besoin de s'accrocher à un rêve sans aucun substrat réel. Ayant trouvé un nouvel objet d'amour, elle se sent alors assez forte pour effacer les vieilles peines et faire subir à son père un peu de ce qu'il lui avait fait subir autrefois — le rejet affectif. Un de ces vieux comptes étant réglé dans sa tête, cette jeune femme va-t-elle transcender finalement un passé fait de tourments, de rancunes et de regrets? Dans ce cas-ci, oui. À l'aide des reflets sur sa conduite et sur les pensées exprimées, à l'aide des interprétations expliquant les motifs et les mobiles de ses actions présentes en fonction de ce qu'elle a vécu dans le passé, cette consultante a "réussi" sa thérapie. Elle est devenue heureuse en ménage avec sa propre famille; elle a appris à reconnaître l'amour des personnes qui l'aimaient et également à leur retourner cet amour. Elle est devenue heureuse avec elle-même: heureuse de vivre tout simplement, mais elle a aussi acquis un certain degré de confiance en elle en découvrant ses capacités et ses possibilités d'action. Elle s'est défait de sa timidité, de son complexe d'infériorité et de son manque de sociabilité. Après quinze ans de marasme mental, de dépressions, d'angoisses, de désespoirs et de solitude passées à souffrir en silence entre ses quatre murs avec ses enfants et son mari, elle décide, avec l'accord et l'appui de ce dernier, de devenir professeur. La vie était vécue en rose.

Éducatrice, la personne thérapeute renseigne sur les principes généraux qui sous-tendent notre façon de penser et sur la communauté de ces principes observés par les individus, entre autres sur les généralisations que sont les stéréotypes, les préjugés et les tabous culturels desquels notre entendement se trouve captif[2]. Mais la personne thérapeute fait aussi prendre conscience de l'importance de réactions simples qui trop souvent passent inaperçues mais sont enregistrées inconsciemment dans notre cerveau, comme un mot mal dit, une phrase mal placée, un geste spontané d'énervement. Ces réactions imperceptibles quelquefois, insignifiantes pour certains, peuvent provoquer de véritables drames entre des êtres qui s'aiment, qui sont très sensibles l'un vis-à-vis de l'autre et présentent une grande susceptibilité émotive personnelle. Je ne puis énumérer bien sûr les myriades de réactions que l'on observe chez les êtres humains, réactions auxquelles nous devons toujours être très attentives pour mieux nous comprendre, nous-même et les autres, réactions étonnantes parfois dans leur brusque apparition mais fascinantes aussi, quand, après les avoir observées chez soi, on les voit se reproduire chez les autres.

Mentionnons que l'ensemble de ces réactions obéit à des principes fondamentaux de la conduite identifiables chez tout être humain. Chaque personne essaye de préserver, à sa façon, son intégrité psychologique; chaque personne essaye de

2. Voir au sujet des stéréotypes et des préjugés socio-culturels, le livre: *La femme expliquée, op. cit.*

faire face à l'angoisse et lutte contre la dépression en utilisant des mécanismes de défense préférentiels mais que l'on retrouve, à différents degrés, chez chacune et chacun d'entre nous.

Parmi les principes fondamentaux de la conduite auxquels nous obéissons toutes et tous, retenons-en deux. Tout d'abord, formulé par Watson[3], le principe le plus flagrant et le plus décisif dans la formation du caractère de l'adulte, celui des apprentissages de base chez l'enfant. Les effets de ces apprentissages seront différents selon que le système de récompenses et de punitions est appliqué ou non, et selon la façon séquentielle dont ce système sera administré. Qu'est-ce que cela signifie?

Selon la bonne ou la mauvaise réponse à un stimulus, que ce soit une commande verbale ou non-verbale donnée par les éducateurs, les parents ou toute autre personne chargée d'éduquer l'enfant, celui-ci est soit récompensé, soit puni, soit ignoré. Nous le savons toutes, ce principe est capital dans la formation des habitudes de vie de tout individu. Mais la phase décisive dans l'élaboration du caractère va dépendre de la façon dont ce système de récompenses et de punitions sera appliqué; c'est la forme d'administration des récompenses et des punitions qui déterminera en grande partie la présence ou l'absence de force de caractère — une des dimensions de notre psyché, indispensable pour survivre dans le monde présent. Si les récompenses et les punitions sont appliquées de manière consistante et seulement dans les cas où chaque type de renforcement est justifié, avec des raisons valables données à l'enfant puni ou récompensé, cet enfant a toutes les chances de devenir un adulte équilibré, responsable, motivé et ayant une bonne résistance au stress puisqu'il a eu des modèles adultes eux-mêmes consistants dans leur idées. Par

---

3. Watson, J.B. and Rayner, R., "Conditioned Emotional Reactions", *Journal of Experimental Psychology*, vol. 3, pp 1-14, 1920.

contre, si les récompenses et les punitions sont distribuées de façon fortuite et d'une manière inconsistante, l'enfant ne sait pas ce qui lui arrive, surtout quand ce sont des punitions qui lui tombent sur le dos et sans qu'il sache exactement pourquoi; nous sommes assurées que cet enfant développera alors un état d'angoisse supérieur à la normale[4]. Il deviendra très craintif, renfermé, timide, sans aucune confiance ni en lui-même ni dans les adultes autour de lui puisqu'il ne saura jamais à quoi s'attendre, surtout en matière de réprimandes, et qu'on ne lui expliquera jamais pourquoi il est battu. Il n'aura donc jamais la possibilité de différencier le bien du mal, tout étant mal. Adulte, il développera un caractère rebelle, mauvais, sournois et paranoïde. Il pensera que tout le monde lui veut du mal, qu'il est entouré d'ennemis; ou bien il ira se terrer loin de ce monde perçu comme cruel, ou bien il sera toujours prêt à faire des coups, à être en conflit avec la loi et il deviendra ce célèbre psychopathe, celui qui en veut mortellement à la société et qui ira se venger contre elle en commettant vols, meurtres et autres actes antisociaux. Dans ce dernier exemple, celui de l'adolescent délinquant ou du psychopathe adulte, la cause de la rébellion contre les valeurs sociales établies peut provenir, comme nous venons de le mentionner, non seulement de trop nombreuses punitions administrées de façon inconsistante, mais aussi d'une absence de punitions et de récompense, l'enfant s'élevant "tout seul", ignoré de ses modèles parentaux, faisant ce qu'il veut, que ce soit bien ou mal, sans que ses parents lui prêtent la moindre attention.

Un autre grand principe que nous nous devons de mentionner, car lui aussi est capital dans notre façon d'appréhender le monde et de vivre notre vie de tous les jours, est un principe formulé par Freud. C'est une conceptualisation de notre fonctionnement mental, lequel se divise en deux grands

---

4. J'ai déjà fait la remarque à maintes reprises que nous avons toutes et tous en nous un niveau d'angoisse que j'appelle l'angoisse existentielle; je traiterai ce sujet dans un livre à paraître.

ensembles: le conscient et l'inconscient. Le conscient représente le moi, la réalité, nos émotions qui traduisent ce que nous vivons et expérimentons sur le moment; l'inconscient représente ce qui nous dirige sans que nous y pensions, c'est-à-dire, d'une part, les valeurs morales intégrées provenant de la culture et de l'éducation, le surmoi comme l'avait désigné Freud et d'autre part, les sentiments cachés, les pulsions secrètes, les pensées défendues, le *Ça* selon le mot freudien. C'est dans le *Ça* que les rêves naissent et vont secouer l'équilibre plus ou moins précaire de nos idées, principalement quand il y a conflit entre ces deux forces que sont le *Ça* et le *Surmoi*, l'une essayant de dominer l'autre. Durant ce combat naîtront incertitudes, peurs et angoisses. C'est sur notre caractère, résultante de l'intégration des valeurs morales et des pulsions au contact de la réalité, que se reflètent les conflits lorsqu'il y en a. Selon qu'il y a présence ou absence de valeurs morales chez la personne, selon leur agencement avec des pulsions contrôlées ou non, on obtiendra différentes catégories d'individus avec différents degrés de stabilité psychologique. Par exemple, si la personne a appris à développer un certain niveau de moralité et à contrôler ses pulsions, elle sera plutôt stable et bien insérée dans la réalité; ce genre de personnes constitue la majorité d'entre nous. Par contre, l'individu qui ne possède aucun sens moral et se laisse aller à ses pulsions risquera fort d'avoir de sérieux problèmes avec la société: on rencontre ce type d'individu dans les hôpitaux psychiatriques et dans les prisons. Un troisième exemple est donné par ceux qui ont rompu avec leur code d'éthique mais dont la maîtrise des pulsions est devenue parfaite; nous avons alors affaire aux grands criminels et nous les retrouvons à tous les niveaux de la société, dans tous les milieux et dans toutes les organisations. Très souvent, ces individus servent de recrues pour les postes de commande! Un dernier exemple nous est fourni par ceux et celles qui ont atteint un certain niveau de moralité mais qui sont soumis, en même temps, à un système de pulsions mal contrôlées; nous avons là le portrait classique des névrosés, enfermés dans leurs conflits, ne sachant que choisir: agir sur leurs pulsions ou maintenir certaines apparences; cette dernière catégorie constitue un bon pourcentage de notre société.

Nous ne mentionnerons que quelques-uns des mécanismes de défense[5] les plus couramment utilisés par l'ensemble des individus dans le but de se protéger contre les maux de l'existence — angoisse et dépression — et donc de préserver leur équilibre mental, que celui-ci soit apparent ou réel. Tout d'abord, celui qui, d'après mes observations, est le plus commun: la projection qui consiste à accuser l'entourage de ce que l'on ressent soi-même: par exemple, le "il me hait" alors que c'est moi qui le hais, ou bien lorsque nous voyons en autrui ce qui est en nous-même, lorsque nous "projetons" notre colère, notre ressentiment, nos défauts, notre façon de voir les choses sur notre enrourage. C'est à la projection qu'est due la grande confusion des sentiments, les erreurs de jugement et notre fausse conception de ce qui est, puisque nous croyons en quelque chose qui n'existe pas, et qui peut même être contraire à la réalité: c'est ce qui arrive le plus fréquemment chez les gens que l'on appelle paranoïdes.

La négation ou le refus de faire face à la réalité est une autre façon communément employée pour ne pas souffrir: quand on ne voit pas on ne souffre pas; c'est alors le refus de comprendre, que ce soit un fait politique, une réalité sociale ou la façon de vivre et de penser des êtres qui nous sont chers. Quant à l'identification avec autrui par substitution telle qu'on la vit lorsque l'on éprouve les joies et les peines de ceux que nous aimons et que nous admirons, c'est une façon d'ap-

---

5. Nous devons à Sigmund Freud d'avoir su identifier une dizaine de mécanismes de défense utilisés par l'être humain dans sa lutte contre l'angoisse principalement. Lire son livre intitulé: *Inhibition, symptôme et angoisse* écrit en 1926, traduction française P.U.F. Lire aussi d'Anne Freud, sa fille: *Le moi et les mécanismes de défense*, traduction française P.U.F.

préhender la réalité qui représente certainement l'un des mécanismes de pensée les plus flatteurs pour l'espèce humaine! Par contre, que de conflits, que d'angoisse et que de confusion naissent lorsque l'on a tendance à utiliser la formation réactionnelle! Blessée dans l'amour qu'elle porte à l'autre, la personne pense détester cet autre alors qu'elle l'aime toujours.

Ce n'est pas parce que la personne-thérapeute a des connaissances précises au sujet du fonctionnement des idées, parce qu'elle a su identifier les causes des actions de ses consultantes et en comprendre les effets sur leur vécu, ce n'est pas parce qu'elle sait reconnaître a priori ce qu'il convient de faire dans telle ou telle situation et pour telle ou telle catégorie de personnes qu'elle doit donner son opinion et opérer des choix à leur place et pour elles. Loin de là.

Il s'agit, avant tout, d'apporter à la consultante une aide objective et sincère en l'incitant à réfléchir sur elle-même afin qu'elle puisse faire ses choix elle-même et donc se défaire de son angoisse paralysante en résolvant ses conflits. Comme nous en avons déjà fait la remarque auparavant, c'est en lui apportant des renseignements sur elle-même et sur le monde extérieur, en la faisant réfléchir sur ses propres sentiments, états, émotions, réactions et conduites, en l'invitant à réviser son passé et à organiser son avenir, à formuler des choix possibles, c'est en lui indiquant, par les techniques de reflet et d'interprétation, le sens de ses pensées secrètes, de ses désirs inavoués, de ses émotions cachées, de ses frustrations incompréhensibles, que la consultante parviendra à mieux se connaître, à se sentir moins angoissée et moins déprimée, à savoir ce qu'elle veut faire avec sa vie, son avenir et elle-même et à savoir ce qu'elle peut attendre des autres.

J'ai personnellement toujours été très surprise de voir le nombre de gens, femmes ou hommes, qui "existent" sans se poser de questions sur les motifs et les mobiles de leurs pensées et de leurs conduites. Ils passent leur vie dans une totale confusion, dans l'angoisse et les tourments, sans savoir qu'ils auraient la possibilité de résoudre leurs difficultés s'ils s'accordaient un peu de temps pour jeter un regard sur eux-mêmes. S'ils s'arrêtaient quelques instants à réfléchir sur leur condition et écoutaient non seulement ce que leur entourage leur répète à longueur de journée, mais aussi les signaux d'alarme que leur pauvre corps fatigué leur envoie — tous ces symptômes de désordre, de déséquilibre, de stress tels que dépendance aux drogues, à l'alcool et aux hallucinogènes, insomnies, cauchemars, ulcères, dépressions et phobies. Ces personnes-là me rappellent les ombres platoniciennes: elles apparaissent sur terre et vont flotter çà et là au gré des courants de l'existence dans la pénombre de leur âme, ignorant tout de leur corps, ignorant tout de l'infinie richesse des idées, ne voulant pas prêter attention aux mobiles de leurs actions et de leurs pensées pour essayer de vivre mieux, et elles iront s'éteindre, comme elles sont nées, dans l'ignorance la plus béate mais après avoir souffert les affres de l'angoisse et l'abîme de la dépression. Il faut dire cependant que nous voyons de plus en plus, en thérapie, de femmes qui commencent à s'émerveiller devant la vie des idées, leur variété et leur richesse, la façon qu'elles ont de surgir spontanément à la conscience et de déclencher un éventail de réactions en chaîne auxquelles on ne s'attend pas.

Dans cette progression vers la connaissance de soi et du monde, dans cette lente ouverture à de nouvelles dimensions de l'existence, dans cette recherche parfois désespérée d'un mieux-être, loin des souffrances et des inquiétudes, il est parfois difficile de réviser sa façon de penser et de vivre. Il est parfois ardu de modifier des habitudes qui, même si elles sont nocives, n'en sont pas moins agréables et tellement plus faciles à conserver qu'à combattre! Il y a des moments où l'on réalise toutes les années perdues dans l'ignorance ou dans les conflits épuisants de l'âme et des émotions. Il y a aussi des instants dramatiques où l'on comprend intellectuellement ce qui ne marche pas mais où l'on se sent pris par le temps et les vieilles habitudes, et où l'on n'ose plus ni changer la situation ni faire le saut qui effacerait des années de peurs, d'angoisse et de blessures inutiles. Dans ces temps de prise de conscience, de prise de décision ou tout au moins de révision d'un certain style d'existence, la personne-thérapeute apportera, en tant que personne authentique et compréhensive, un appui moral et un soutien appréciable.

Le soutien

Ce rôle moral est la troisième caractéristique du processus thérapeutique. Il consiste à offrir à la consultante une partie de sa propre énergie mentale pour la soutenir et l'aider à poursuivre sa vie, essayer de lui infuser cette part d'énergie nécessaire pour qu'elle ne se laisse pas aller. Que cette qualité particulière de la thérapie soit conçue sous l'angle soit de la sympathie — participation subjective et non critique aux problèmes et aux peines d'autrui —, soit de l'empathie — participation objective et critique à ces mêmes problèmes et à ces mêmes peines —, soit sous l'angle d'un support et d'un soutien — redonner une partie du courage qui manque pour réveiller les vieux intérêts —, toute thérapie qui "réussit" doit inclure une entente non verbale entre thérapeute et consultante. Cette compréhension intrinsèque est sous-tendue par la confiance dans la compétence et l'authenticité de la première, et par la reconnaissance de la capacité de la seconde à faire des efforts réels pour s'en sortir et tenir des propos authentiques. S'il y a attraction naturelle entre la consultante et la personne-thérapeute, si d'emblée, dès la première entrevue, il y a un bon contact non verbal entre les deux, si l'une fait confiance à la compétence et à l'humanité de l'autre tandis que l'autre perçoit en face d'elle un être qui désire en toute sincérité résoudre des difficultés dont elle n'est pas responsable, la relation d'aide se formera spontanément. Pourquoi? Parce que d'une part la bonne entente entre les deux facilite la dépense d'énergie mentale de la personne-thérapeute pour supporter la consultante dans les diverses étapes de sa prise de conscience, ses déceptions et ses découragements éventuels. D'autre part, elle devra toujours être là quand cette dernière menacera de "tout laisser tomber", c'est-à-dire quand elle renouera avec ses vieux modèles de conduite pour démontrer l'échec de la thérapie. C'est une façon de tester la thérapeute et sa force de caractère quant à l'acceptation d'un échec, le sien, et en conséquence celui de sa cliente. La thérapie comportera donc des moments constants de mise au point et de réajustement des objectifs au cours desquels une des tâches de la thérapeute sera de maintenir la motivation de la consultante ou de la motiver tout simplement. Celle-ci a bien entendu un certain niveau d'énergie et ses propres intérêts, mais pas toujours soutenus et pas dans tous les cas. C'est d'ailleurs pour cette raison que certaines consultantes viennent en thérapie: pour qu'on leur insuffle de l'énergie et pour recevoir un soutien, un support dans leur progression, une force qui s'ajoutera à la leur pour faire ce qu'elles ont l'intention de faire mais qui leur semble trop difficile à accomplir toutes seules. Au cours des entrevues, ce soutien ne peut donc donner des résultats que s'il y a confiance réciproque entre les deux personnes impliquées dans ce processus d'évolution vers un mieux-être. Il est évident que la confiance concerne principalement la personne-thérapeute et que, si celle-ci n'inspire pas cette confiance, le succès de la thérapie est remis en question. Or, la confiance dépend de certaines qualités chez autrui qui peuvent nous plaire ou nous déplaire: au moment de la première rencontre, la qualité la plus frappante est liée à l'image que nous donnons de nous-même. La crédibilité et le fait de constituer un modèle adéquat représentent le quatrième volet du rôle de la personne-thérapeute.

Le modèle

Je ne pense pas que l'on puisse croire en l'authenticité d'une diététicienne consultée pour entreprendre un régime si celle-ci mesure un mètre soixante et pèse quatre-vingt-dix kilos, ni à la qualité des services offerts par une esthéticienne mal coiffée, avec la peau mal entretenue et une apparence négligée. De même, il sera difficile de croire en la stabilité mentale de la personne-thérapeute si elle présente trop de tics nerveux, si elle arrive infailliblement au bureau le cheveu hirsute et les vêtements défraîchis ou si de toute évidence elle est sous l'influence de drogues. Ce sont-là bien sûr des extrêmes, mais je pense que tout thérapeute doit respecter un minimum de convenances et qu'il ne doit pas imposer ses idiosyncrasies à ses consultants, par considération pour eux. D'autre part, une tenue et une apparence décente ne font qu'augmenter la confiance d'autrui en nous et peuvent dans certains cas entraîner des changements chez la personne qui consulte. Une part de l'acte thérapeutique consiste en fait à initier des transformations par l'image que nous donnons de nous-même à travers notre façon de nous comporter à l'égard de nos clientes, notre façon de les recevoir, notre façon de nous présenter à elles, notre façon de leur parler et même notre maintien, nos attitudes, nos vêtements et notre coiffure, aussi simple et superficiel que cela puisse sembler.

Il y a aussi, bien sûr, cet air d'authenticité que l'on possède ou que l'on ne possède pas, authenticité dans la compétence évidemment: on ne s'improvise pas thérapeute, on le devient.

Il y a des principes de la conduite humaine et des mécanismes d'organisation de la pensée qui ne se devinent pas: nous apprenons à les reconnaître par l'étude et les observations quotidiennes que nous faisons sur l'être humain.

Parmi les principes de la conduite humaine, nous en avons cité deux qui nous semblent primordiaux dans notre compréhension de l'être humain. L'un est d'origine behaviorale et fait appel à ce paradigme classique que l'on retrouve chez tous les organismes vivants: *un certain stimulus provoquera un certain type de réponse.* Ce premier principe s'applique à *tous nos apprentissages,* bons ou mauvais. Que l'on devienne héroïque ou phobique, l'héroïsme et la phobie ont leur origine dans ces apprentissages de base. Il en va de même en ce qui concerne les idées et les comportements. Comme nous l'avons vu, l'adoption d'idées paranoïdes ou de comportements antisociaux dépend de nos apprentissages d'enfants. Nous voulons d'ailleurs insister sur ce principe car nous le considérons d'importance capitale, surtout dans le cadre du sujet que nous traitons, la psychopathologie de la femme étant très fortement influencée par nos apprentissages de nature socioculturelle. Le second grand principe, principe freudien que nous avons mentionné plus haut, met en jeu la relation entre nos valeurs morales, nos pulsions, contrôlées ou non, et la réalité qui constitue une combinaison de ces valeurs morales et de ces pulsions au contact de notre environnement. Nous avons vu qu'une personne sera équilibrée ou non selon l'agencement de ses valeurs morales et de ses pulsions. Nous avons aussi retenu, parmi nos systèmes de défense classiques contre l'angoisse et la dépression, la projection, la négation, l'identification, la formation réactionnelle, tous ces mécanismes illustrant nos réactions psychologiques face à nos interactions les unes avec les autres.

De même, il y a des éléments dans la connaissance du fonctionnement du cerveau, du système nerveux et des différents organes que ce dernier innerve qui ne se devinent pas: ils s'apprennent. S'il n'est pas possible, dans le contexte de ce guide, d'écrire un traité sur l'anatomie et la physiologie du cerveau, mentionnnons son importance vitale et critique dans l'organisation et le maintien de notre équilibre psychique et physique.

Authenticité donc par la compétence, mais authenticité aussi dans notre personnalité: il s'agit d'être sincère avec nous-même et de ne pas prétendre être ce que l'on n'est pas. Ce dernier point relève de l'harmonie entre notre apparence, notre tenue vestimentaire, nos expressions faciales, nos manières, nos attitudes corporelles et les idées que nous professons. Il y a des visages à l'expression sincère et d'autres qui ne l'ont pas, et n'importe qui le sent de façon intuitive; il y a aussi des visages à l'expression froide et distante qui ne suscitent pas la confiance et n'invitent pas au dialogue. Certaines personnes se veulent chaleureuses et compréhensives, mais elles remplissent leurs fonctions en priorité par nécessité monétaire, pour le maintien d'un statut social et professionnel et non avec le désir premier d'aider autrui; les gens que nous recevons dans nos cliniques perçoivent aussi cela.

Pour résumer cette dernière partie sur les différents aspects du rôle de la personne-thérapeute, nous pouvons dire que, par besoin d'être entendue et comprise, la consultante attend de nous *l'écoute* et *la compréhension;* par besoin de se connaître et de définir ses objectifs de vie tout en se sensibilisant à la compréhension d'autrui, la consultante nous perçoit comme une *éducatrice* et elle désire être renseignée sur l'origine de son angoisse et de ses différents problèmes; par besoin d'un réconfort, elle attend de nous un certain *soutien* psychologique; par besoin de croire en quelqu'un, elle attend de nous la stabilité; nous pouvons représenter à la limite un certain *modèle.*

Le Centre de femmes:
la nécessité présente de son existence

Le Centre représente avant tout un lieu où la femme s'informe sur les différents sujets la concernant en tant que femme et personne. A-t-elle besoin de services juridiques parce que son ex-mari ne l'aide plus financièrement à élever ses enfants ou a-t-elle des problèmes avec son propriétaire, on lui indiquera le nom d'une avocate travaillant pour l'aide juridique [6]. A-t-elle besoin des services d'une gynécologue ou d'une omnipraticienne, on lui donnera une liste des femmes professionnelles de son secteur. En plus des informations concernant les services médicaux-légaux — les plus en demande —, des séances d'information sont organisées au sujet des différents domaines la concernant comme nous l'avons déjà mentionné; on lui dira où se renseigner et que faire dans le cas où par exemple elle a été violée, battue ou jetée à la rue par son conjoint.

En même temps qu'un lieu où elle peut recevoir des informations, le Centre est aussi un endroit où elle s'éduque. Elle apprend à utiliser les services administratifs offerts à la population et à se protéger et se défendre en tant que femme, être social, car on l'informe au sujet de ses droits et de la façon de les faire valoir et ce, grâce à des rencontres avec différentes professionnelles auxquelles elle se réfère, mais aussi grâce aux groupes d'information et de discussion.

En plus de sa vocation d'information et d'éducation, le Centre sert en même temps de lieu de rencontre pour les femmes, celles qui se sentent seules, qui ne savent où aller ni quoi faire. Grâce aux programmes offerts et aux activités organisées, le Centre leur donne l'occasion de se changer les idées, de se redonner du courage et de se faire des amies. Cette forme de soutien, informelle et agréable, ne peut bien sûr qu'aider à promouvoir la santé mentale de la femme, son bien-être et donc le bien-être de son entourage en la rendant plus confiante en elle-même et plus sûre de ce qu'elle fait. Forme d'entraide, le Centre permet à la femme de combler sa solitude, d'alléger son angoisse et de prévenir les crises de dépression quand elle se sent abandonnée.

---

6. *Aide juridique:* un des services gouvernementaux de la justice chargé de s'occuper des gens défavorisés financièrement.

En résumé, le Centre de femmes et le Centre de santé mentale — en ce qui concerne sa clientèle féminine — sont des organismes publics qui ont pour but d'aider les femmes à mieux vivre aussi bien au niveau pratique en leur apprenant à se tirer d'embarras qu'au niveau personnel en leur apprenant à mieux se connaître par le biais de l'information, de l'éducation et de l'entraide.

Conclusion

Dans ce livre, nous avons énuméré l'ensemble des différentes ressources mises au service de la femme en vue de l'aider à améliorer et à maintenir sa santé mentale dans des conditions optimales de mieux-être.

Étant donné les différentes possibilités qui lui sont offertes, il revient à la femme de les utiliser et de les mettre à profit. Le succès n'est pas assuré bien sûr. Beaucoup de facteurs entrent en jeu. En tout premier lieu, comme nous l'avons déjà répété à maintes reprises, il n'y a aucune panacée universelle aux problèmes de l'existence. C'est plutôt un ajustement personnel au stress et aux traumas de la vie qu'il faut réaliser en analyse finale. Deuxièmement, cet ajustement se fait selon l'intelligence, l'état de santé et la force de caractère de la personne. On remarque en troisième instance qu'il y a un lien évident mais non exclusif entre santé mentale et niveau socio-économique. La grande majorité de la population féminine ayant besoin des services offerts par le Centre de santé mentale et le Centre de femmes provient de milieux défavorisés. La force physique et la force de caractère de ces femmes ont été mises à dure épreuve dès leur enfance. La meilleure façon de leur apporter de l'aide sera alors de chercher avec elles des moyens de les motiver et de leur redonner courage en vue d'accomplir les transformations nécessaires et leur apprendre à mieux vivre, c'est-à-dire à être moins angoissées et moins déprimées.

Les moyens pour atteindre ce mieux-vivre sont multiples. Nous avons parlé des psychothérapies individuelles, des groupes, de la psychopharmacologie et des thérapies complémentaires pour celles dont le mal de vivre a détruit l'équilibre nerveux. Nous avons aussi mentionné l'importance du Centre des femmes pour toutes celles qui non seulement veulent se regrouper et développer un sens de leur identité féminine, mais pour celles surtout qui ont besoin d'une aide pratique pour survivre dans notre société toujours essentiellement phallocrate dans sa façon de penser.

Qu'elle ait ou non besoin de psychothérapie ou de médicaments, la femme, quels que soient ses problèmes, ne pourra s'assumer comme femme-personne et être heureuse que si elle est motivée intérieurement.

Table des matières

Avant-propos   7
Introduction   9
Première partie

La consultante   13
— Qui est-elle? Que veut-elle? Comment réagit-elle?   15

Deuxième partie

Les méthodes palliatives   75
La clinique de santé mentale
    Les thérapies orthodoxes ou méthodes palliatives   77
 I. La thérapie individuelle   80
   a) Actes thérapeutiques proposés dans le cas
      de dépression   80
   b) Actes thérapeutiques proposés dans les cas
      d'angoisse   84
   c) Cas particuliers: l'hystérie, les phobies
      et l'anorexie mentale   87
 II. La psychopharmacologie   99
III. Les groupes   107
   Le groupe d'affirmation de soi   110
   Le groupe de réflexion   114
   Le groupe de relaxation   116

IV. Les thérapies complémentaires: la relaxation 117
La technique de la rétroaction biologique 119
L'hypnose 122
La relaxation progressive de Jacobson 123
Le training autogène de Schultz 127
Le Centre des femmes 128

Troisième partie

La personne-thérapeute: son rôle 133
Conclusion 157

Lithographié au Canada
sur les presses de
Métropole Litho Inc.

Ouvrages parus chez

 le jour,
éditeur

COLLECTION BEST-SELLERS

* **Comment aimer vivre seul,** Lynn Shahan
* **Comment faire l'amour à une femme,** Michael Morgenstern
* **Comment faire l'amour à un homme,** Alexandra Penney
* **Grand livre des horoscopes chinois, Le,** Theodora Lau
  Maîtriser la douleur, Meg Bogin
  Personne n'est parfait, Dr H. Weisinger, N.M. Lobsenz

COLLECTION ACTUALISATION

* **Agressivité créatrice, L',** Dr G.R. Bach, Dr H. Goldberg
* **Aider les jeunes à choisir,** Dr S.B. Simon, S. Wendkos Olds
  Au centre de soi, Dr Eugene T. Gendlin
  Clefs de la confiance, Les, Dr Jack Gibb
* **Enseignants efficaces,** Dr Thomas Gordon
  États d'esprit, Dr William Glasser
* **Être homme,** Dr Herb Goldberg
* **Jouer le tout pour le tout,** Carl Frederick
* **Mangez ce qui vous chante,** Dr L. Pearson, Dr L. Dangott, K. Saekel
* **Parents efficaces,** Dr Thomas Gordon
* **Partenaires,** Dr G.R. Bach, R.M. Deutsch
  Secrets de la communication, Les, R. Bandler, J. Grinder

COLLECTION VIVRE

* **Auto-hypnose, L',** Leslie M. LeCron
  Chemin infaillible du succès, Le, W. Clement Stone
* **Comment dominer et influencer les autres,** H.W. Gabriel
  Contrôle de soi par la relaxation, Le, Claude Marcotte
  Découvrez l'inconscient par la parapsychologie, Milan Ryzl
  Espaces intérieurs, Les, Dr Howard Eisenberg
  Être efficace, Marc Hanot
  Fabriquer sa chance, Bernard Gittelson
  Harmonie, une poursuite du succès, L', Raymond Vincent
* **Miracle de votre esprit, Le,** Dr Joseph Murphy
* **Négocier, entre vaincre et convaincre,** Dr Tessa Albert Warschaw

* On n'a rien pour rien, Raymond Vincent

Parlez pour qu'on vous écoute, Michèle Brien

Pensée constructive et le bon sens, La, Raymond Vincent

* Principe du plaisir, Le, Dr Jack Birnbaum

* Puissance de votre subconscient, La, Dr Joseph Murphy

Reconquête de soi, La, Dr James Paupst, Toni Robinson

* Réfléchissez et devenez riche, Napoleon Hill

Règles d'or de la vente, Les, George N. Kahn

Réussir, Marc Hanot

* Rythmes de votre corps, Les, Lee Weston

* Se connaître et connaître les autres, Hanns Kurth

* Succès par la pensée constructive, Le, N. Hill, W.C. Stone

Triomphez de vous-même et des autres, Dr Joseph Murphy

Vaincre la dépression par la volonté et l'action, Claude Marcotte

* Vivre, c'est vendre, Jean-Marc Chaput

Votre perception extra-sensorielle, Dr Milan Ryzl

COLLECTION VIVRE SON CORPS

Drogues, extases et dangers, Les, Bruno Boutot

* Massage en profondeur, Le, Jack Painter, Michel Bélair

* Massage pour tous, Le, Gilles Morand

* Orgasme au féminin, L', Christine L'Heureux

* Orgasme au masculin, L', sous la direction de Bruno Boutot

* Orgasme au pluriel, L', Yves Boudreau

Pornographie, La, Collectif

Première fois, La, Christine L'Heureux

Sexualité expliquée aux adolescents, La, Yves Boudreau

COLLECTION IDÉELLES

Femme expliquée, La, Dominique Brunet

Femmes et politique, sous la direction de Yolande Cohen

HORS-COLLECTION

1500 prénoms et leur signification, Jeanne Grisé-Allard

Bien s'assurer, Carole Boudreault et André Lafrance

* **Entreprise électronique, L',** Paul Germain
Horoscope chinois, L', Paula Del Sol
Lutte pour l'information, La, Pierre Godin

Mes recettes, Juliette Lassonde
Recettes de Janette et le grain de sel de Jean, Les, Janette Bertrand

Autres ouvrages parus aux Éditions du Jour

ALIMENTATION ET SANTÉ

Alcool et la nutrition, L', Jean-Marc Brunet
Acupuncture sans aiguille, Y. Irwin, J. Wagenwood
Bio-énergie, La, Dr Alexander Lowen
Breuvages pour diabétiques, Suzanne Binet
Bruit et la santé, Le, Jean-Marc Brunet
Ces mains qui vous racontent, André-Pierre Boucher
Chaleur peut vous guérir, La, Jean-Marc Brunet
Comment s'arrêter de fumer, Dr W.J. McFarland, J.E. Folkenberg
Corps bafoué, Le, Dr Alexander Lowen
Cuisine sans cholestérol, La, M. Boudreau-Pagé, D. Morand, M. Pagé
Dépression nerveuse et le corps, La, Dr Alexander Lowen
Desserts pour diabétiques, Suzanne Binet
Jus de santé, Les, Jean-Marc Brunet

Mangez, réfléchissez et..., Dr Leonid Kotkin
Échec au vieillissement prématuré, J. Blais
Facteur âge, Le, Jack Laprata
Guérir votre foie, Jean-Marc Brunet
Information santé, Jean-Marc Brunet
Libérez-vous de vos troubles, Dr Aldo Saponaro
Magie en médecine, La, Raymond Sylva
Maigrir naturellement, Jean-Luc Lauzon
Mort lente par le sucre, La, Jean-Paul Duruisseau
Recettes naturistes pour arthritiques et rhumatisants, L. Cuillerier, Y. Labelle
Santé par le yoga, Suzanne Piuze
Touchez-moi s'il vous plaît, Jane Howard
Vitamines naturelles, Les, Jean-Marc Brunet
Vivre sur la terre, Hélène St-Pierre

ART CULINAIRE

Armoire aux herbes, L', Jean Mary
Bien manger et maigrir, L. Mercier, C.B. Garceau, A. Beaulieu
Cuisine canadienne, La, Jehane Benoit
Cuisine du jour, La, Robert Pauly
Cuisine roumaine, La, Erastia Peretz
Recettes et propos culinaires, Soeur Berthe
Recettes pour homme libre, Lise Payette

Recettes de Soeur Berthe — été, Soeur Berthe
Recettes de Soeur Berthe — hiver, Soeur Berthe
Recettes de Soeur Berthe — printemps, Soeur Berthe
Une cuisine toute simple, S. Monange, S. Chaput-Rolland
Votre cuisine madame, Germaine Gloutnez

DOCUMENTS ET BIOGRAPHIES

100 000ième exemplaire, Le, J. Dufresne, S. Barbeau
40 ans, âge d'or, Eric Taylor
Administration en Nouvelle-France, Gustave Lanctôt
Affrontement, L', Henri Lamoureux
Baie James, La, Robert Bourassa
Cent ans d'injustice, François Hertel
Comment lire la Bible, Abbé Jean Martucci
Crise d'octobre, La, Gérard Pelletier
Crise de la conscription, La, André Laurendeau
D'Iberville, Jean Pellerin
Dangers de l'énergie nucléaire, Les, Jean-Marc Brunet
Dossier pollution, M. Chabut, T. LeSauteur
Énergie aujourd'hui et demain, François L. de Martigny
Équilibre instable, L', Louise Deniset
Français, langue du Québec, Le, Camille Laurin
Grève de l'amiante, La, Pierre Elliott Trudeau

Hiérarchie ethnique dans la grande entreprise, Jean-Marie Rainville
Histoire de Rougemont, L', Suzanne Bédard
Hommes forts du Québec, Les, Ben Weider
Impossible Québec, Jacques Brillant
Joual de Troie, Le, Marcel Jean
Louis Riel, patriote, Martwell Bowsfield
Mémoires politiques, René Chalout
Moeurs électorales dans le Québec, Les, J. et M. Hamelin
Pêche et coopération au Québec, Paul Larocque
Peinture canadienne contemporaine, La, William Withrow
Philosophie du pouvoir, La, Martin Blais
Pourquoi le bill 60? Paul Gérin-Lajoie
Rébellion de 1837 à St-Eustache, La, Maximilien Globensky
Relations des Jésuites, T. II
Relations des Jésuites, T. III
Relations des Jésuites, T. IV
Relations des Jésuites, T. V

ENFANCE ET MATERNITÉ

Enfants du divorce se racontent, Les, Bonnie Robson

Famille moderne et son avenir, La, Lynn Richards

ENTREPRISE ET CORPORATISME

Administration et la prise, L', P. Filiatrault, Y.G. Perreault

Administration, développement, M. Laflamme, A. Roy

Assemblées délibérantes, Claude Béland

Assoiffés du crédit, Les, Fédération des A.C.E.F. du Québec

Coopératives d'habitation, Les, Murielle Leduc

Mouvement coopératif québécois, Gaston Deschênes

Stratégie et organisation, J.G. Desforges, C. Vianney

Vers un monde coopératif, Georges Davidovic

GUIDES PRATIQUES

550 métiers et professions, Françoise Charneux Helmy

Astrologie et vous, L', André-Pierre Boucher

Backgammon, Denis Lesage

Bridge, notions de base, Denis Lesage

Choisir sa carrière, Françoise Charneux Helmy

Croyances et pratiques populaires, Pierre Desruisseaux

Décoration, La, D. Carrier, N. Houle

Des mots et des phrases, T. I, Gérard Dagenais

Des mots et des phrases, T. II, Gérard Dagenais

Diagrammes de courtepointes, Lucille Faucher

Dis papa, c'est encore loin?, Francis Corpatnauy

Douze cents nouveaux trucs, Jeanne Grisé-Allard

Encore des trucs, Jeanne Grisé-Allard

Graphologie, La, Anne-Marie Cobbaert

Greffe des cheveux vivants, La, Dr Guy, Dr B. Blanchard

Guide de l'aventure, N. et D. Bertolino

Guide du chat et de son maître, Dr L. Laliberté-Robert, Dr J.P. Robert

Guide du chien et de son maître, Dr L. Laliberté-Robert, Dr J.P. Robert

Macramé-patrons, Paulette Hervieux

Mille trucs, madame, Jeanne Grisé-Allard

Monsieur Bricole, André Daveluy

Petite encyclopédie du bricoleur, André Daveluy

Parapsychologie, La, Dr Milan Ryzl

Poissons de nos eaux, Les, Claude Melançon

Psychologie de l'adolescent, La, Françoise Cholette-Pérusse

Psychologie du suicide chez l'adolescent, La, Brenda Rapkin

Qui êtes-vous? L'astrologie répond, Tiphaine

Régulation naturelle des naissances, La, Art Rosenblum

Sexualité expliquée aux enfants, La, Françoise Cholette-Pérusse

Techniques du macramé, Paulette Hervieux

Toujours des trucs, Jeanne Grisé-Allard

Toutes les races de chats, Dr Louise Laliberté-Robert

Vivre en amour, Isabelle Lapierre-Delisle

LITTÉRATURE

À la mort de mes vingt ans, P.O. Gagnon

Ah! mes aïeux, Jacques Hébert

Bois brûlé, Jean-Louis Roux

C't'a ton tour, Laura Cadieux, Michel Tremblay

Coeur de la baleine bleue, (poche), Jacques Poulin

Coffret Petit Jour, Abbé J. Martucci, P. Baillargeon, J. Poulin, M. Tremblay

Colin-maillard, Louis Hémon

Contes pour buveurs attardés, Michel Tremblay

Contes érotiques indiens, Herbert T. Schwartz

De Z à A, Serge Losique

Deux millième étage, Roch Carrier

Le dragon d'eau, R.F. Holland

Éternellement vôtre, Claude Péloquin

Femme qu'il aimait, La, Martin Ralph

Filles de joie et filles du roi, Gustave Lanctôt

Floralie, où es-tu?, Roch Carrier

Fou, Le, Pierre Châtillon

Il est par là le soleil, Roch Carrier

J'ai le goût de vivre, Isabelle Delisle

J'avais oublié que l'amour fût si beau, Yvette Doré-Joyal

Jean-Paul ou les hasards de la vie, Marcel Bellier

Jérémie et Barabas, F. Gertel

Johnny Bungalow, Paul Villeneuve

Jolis deuils, Roch Carrier

Lapokalipso, Raoul Duguay

Lettre à un Français qui veut émigrer au Québec, Carl Dubuc

Lettres d'amour, Maurice Champagne

Une lune de trop, Alphonse Gagnon

Ma chienne de vie, Jean-Guy Labrosse

Manifeste de l'infonie, Raoul Duguay

Marche du bonheur, La, Gilbert Normand

Meilleurs d'entre nous, Les, Henri Lamoureux

Mémoires d'un Esquimau, Maurice Métayer

Mon cheval pour un royaume, Jacques Poulin

N'Tsuk, Yves Thériault

Neige et le feu, La, (poche), Pierre Baillargeon

Obscénité et liberté, Jacques Hébert
Oslovik fait la bombe, Oslovik
Parlez-moi d'humour, Normand Hudon
Scandale est nécessaire, Le, Pierre Baillargeon

Trois jours en prison, Jacques Hébert
Voyage à Terre-Neuve, Comte de Gébineau

SPORTS

Baseball-Montréal, Bertrand B. Leblanc
Chasse au Québec, La, Serge Deyglun
Exercices physiques pour tous, Guy Bohémier
Grande forme, Brigitte Baer
Guide des sentiers de raquette, Guy Côté
Guide des rivières du Québec, F.W.C.C.
Hébertisme au Québec, L', Daniel A. Bellemare
Lecture de cartes et orientation en forêt, Serge Godin
Nutrition de l'athlète, La, Jean-Marc Brunet
Offensive rouge, L', G. Bonhomme, J. Caron, C. Pelchat

Pêche sportive au Québec, La, Serge Deyglun
Raquette, La, Gérard Lortie
Ski de randonnée — Cantons de l'Est, Guy Côté
Ski de randonnée — Lanaudière, Guy Côté
Ski de randonnée — Laurentides, Guy Côté
Ski de randonnée — Montréal, Guy Côté
Ski nordique de randonnée et ski de fond, Michael Brady
Technique canadienne de ski, Lorne Oakie O'Connor
Truite, la pêche à la mouche, Jeannot Ruel
La voile, un jeu d'enfant, Mario Brunet